dirigée par
Noël Audet

Max
ou le sens de la vie

Max

ou le sens de la vie

FRANÇOIS JOBIN

roman

ÉDITIONS QUÉBEC/AMÉRIQUE

425, RUE SAINT-JEAN-BAPTISTE, MONTRÉAL, QUÉBEC H2Y 2Z7 (514) 393-1450

Cet ouvrage a été publié grâce à une subvention du Conseil des Arts du Canada.

Données de catalogage avant publication (Canada)

Jobin, François, 1946-

  Max ou le sens de la vie

  (Collection Littérature d'Amérique)

  ISBN 2-89037-574-9

  I. Titre. II. Titre: Le sens de la vie. III. Collection.

PS8569.O24M39 1992   C843'.54 C92-096219-X
PS9569.O24M39 1992
PQ3919.2.J62M39 1992

Dépôt légal:
1er trimestre 1992
Bibliothèque nationale du Québec
Bibliothèque nationale du Canada

Montage
Andréa Joseph

À la mémoire de Claude Mathieu et de Jean-Marie Moreau, qui m'ont donné le goût des mots.

Aussi, à Cassandre et Chloé, à qui je souhaite le transmettre à mon tour.

Si la seule solution est la mort, nous ne sommes pas sur la bonne voie. La bonne voie est celle qui mène à la vie, au soleil.

Albert Camus

Max habitait Privilège-sur-Sonatine, un village ni-
ché au fond d'un cratère. Il avait une douzaine d'années et passait le plus clair de son temps à harceler
son entourage de questions sur le sens de la vie.

Rien dans sa petite enfance n'avait présagé cette
singularité. Bébé, il avait été le nourrisson parfaitement conforme qui hurle quand il a faim, hurle
quand il a soif, hurle quand il a mal et le reste du
temps rit aux anges en jouant avec ses orteils.

Bambin, comme tous les marmots de son âge,
Max tirait prétexte de tout et de rien pour se fendre
la poire: attacher des casseroles à la queue d'un
chien, déposer des crottes de lapin dans le tonneau
d'olives du marchand de légumes ou scier la canne
du vieil Ambroise, le bossu, pour lui faire accroire
qu'il se redressait. Mais son principal souffre-dou-
leur avait toujours été La Linotte, le garde-biques
sourd et muet, dont il s'ingéniait à boucher la flûte
avec de la glaise. Ce dernier — bonne pâte — n'en
prenait pas ombrage, mais il avait pris le parti de
simuler des colères olympiennes afin de ne pas
décevoir son bourreau.

En somme, Max était un enfant normal, prévisible et ordinaire que les grandes énigmes de l'univers ne préoccupaient pas plus que ses camarades sinon de temps en temps, comme cela arrive à la plupart des enfants un peu délurés qui marquent parfois une pause au milieu d'une partie de ballon pour se demander qui ils sont, d'où ils viennent et où ils vont, de la même manière qu'on constate inopinément qu'on a chaud, qu'on a faim ou qu'on a soif. Ces interruptions ne tiraient pas à conséquence puisque le passage d'un papillon, le bourdonnement d'une guêpe, le choc d'un ballon sur sa tête ou le cri d'impatience d'un compagnon le ramenaient vite à la réalité.

Le changement s'était produit beaucoup plus tard, vers sa huitième année.

Un jour qu'un orage s'abattait sur le village, Max, le nez collé à la fenêtre de la cuisine, avait demandé à sa mère qui épluchait des légumes à quoi servait la pluie. Machinalement, elle avait répondu qu'elle faisait pousser les plantes.

— Et les plantes, à quoi servent-elles?

La mère de Max était une de ces femmes ordonnées et routinières qui n'apprécient guère les distractions dans l'exécution de leurs tâches quotidiennes. Elle était de nature plutôt silencieuse et travaillait du matin au soir à ses fourneaux, ne s'accordant pour tout répit qu'une occasionnelle visite au village où elle échangeait des recettes avec ses commères ou écoutait le récit des frasques de leur petit dernier. Son mari disait d'elle qu'elle était une abeille laborieuse.

Cette journée-là, en plus, elle était mal lunée.

Elle avait donc renvoyé Max à son père.

Celui-ci n'était pas un grand savant, mais il était patient et aimait bien s'occuper de son fils. Il avait répondu que les plantes servent à nourrir les animaux.

— Et les animaux, à quoi ils servent?

— Mais à nourrir les hommes.

— Et les hommes, à quoi ils servent?

Pris de court, le père avait avalé de travers.

Il savait très bien à quoi il servait, lui. En revanche, les hommes pris dans leur ensemble, c'était autre chose. Pas plus que les autres habitants de Privilège-sur-Sonatine, le père de Max n'avait l'habitude de transposer au général ses expériences particulières. Sa vie se résumait à cultiver son jardin, rafistoler ses clôtures, soigner ses bêtes, labourer ses champs, couper le bois pour le feu et veiller à ce que sa famille ne manquât de rien. Quant au reste, si tant est qu'il y eût un reste, il s'en remettait au pasteur du village et au maître d'école dont c'était, selon lui, la fonction de régler tout ce qui ne relevait pas des occupations d'un honnête paysan.

Pour tout dire, le père de Max n'était pas très porté sur l'étude des causes premières. Il tenait pour acquis le passage des saisons, la pluie et le beau temps, le jour et la nuit, la vie et la mort. En parfait accord avec son épouse, il avait toujours mis son intelligence au service de problèmes qui en valaient la peine: quelle longueur de fil de fer acheter pour fermer un enclos, quelle quantité de bûches scier pour chauffer en hiver une maison de cinq pièces, combien de porcelets peut produire une truie dans sa vie.

Néanmoins, ne souhaitant pas laisser Max sur sa faim, et craignant surtout que son fils ne le tînt pour une ganache, il risqua prudemment une réponse:

— Les hommes, ça sert à cultiver les champs, à nourrir les bêtes, à construire des maisons. Oh, et puis, est-ce que je sais moi! Ça sert à des tas de choses, les hommes. Les hommes, c'est... c'est... la vie.

Le grand mot était lâché. Max se lança dessus comme un chaton sur une pelote de laine.

— Et la vie, à quoi elle sert, la vie? avait-il rétorqué, le front barré d'un pli en forme de point d'interrogation, les yeux soudain avides.

Un ange passa à ce moment précis, en mission d'inspection.

— Tiens, se dit-il, un moutard qui s'interroge sur le sens de la vie. Cela pourrait intéresser le Patron.

Et il plana un instant dans la cuisine pour suivre le cours des événements.

Le visage du père de Max s'était plissé comme lorsqu'il forçait pour transporter de gros fardeaux; il avait passé une main calleuse sur ses joues mal rasées en posant sur son fils un regard comme celui qu'on réserve au mouton à cinq pattes qui vient de naître et dont on se demande ce qu'on va bien pouvoir en faire.

— Demande à ton grand-père, dit-il enfin.

Et il regarda ailleurs.

Le grand-père de Max, son aïeul maternel, coulait des jours sans histoires assis dans sa berceuse, l'été sous le soleil, l'hiver au coin du feu. Il prenait si peu de place qu'on oubliait parfois sa présence et il n'était pas rare qu'il demeurât plusieurs jours sans manger.

Max dut répéter trois fois sa question parce que le vieux était un peu sourd. De plus, il dormait.

— Voilà une question d'homme, avait répondu le grand-père. Excellente! Une question comme je les aime, juteuse, viandue, capitale! Je suis bien content de constater que tu t'interroges sur le sens de la vie. On n'aime pas beaucoup parler de ces choses-là d'habitude. Pourtant, c'est important, c'est essentiel! Tu me réjouis le cœur, petit.

Et il s'était rendormi.

Depuis cet épisode que la plupart des enfants n'aurait même pas jugé digne d'encombrer une seule cellule de leur mémoire, le comportement de Max s'était peu à peu transformé, sous l'œil attentif de l'ange qui prenait des notes.

Le changement avait été subtil, progressif, comme l'évolution d'une maladie secrète. Le boute-en-train qu'il avait toujours été se contentait à présent d'observer les autres et préférait aux batailles de châtaignes ses rêveries de promeneur solitaire. À tout moment, on pouvait voir entre ses yeux un pli en forme de V, signe indubitable d'introspection profonde, qui donnait à son visage un air grave.

L'ange consigna dans son rapport que de temps à autre, durant une partie de billes, au moment de plonger dans la rivière, juste avant de pisser contre la tige d'une marguerite ou entre deux bouchées de pain, Max s'interrompait brusquement et demandait à quiconque se trouvait là «pourquoi étudié-je, joué-je aux billes, plongé-je, pissé-je ou mangé-je?» Puis il attendait une réponse qui ne venait jamais en regardant son interlocuteur droit dans les yeux, ce qui en troublait plus d'un. En conséquence, il oubliait

une retenue en calcul, ratait son coup aux billes,
tombait sur le ventre à la surface de l'eau, pissait le
long de sa jambe ou s'engouffrait par mégarde le
quignon de pain dans le nez.

Il avait à présent douze ans et il ne se trouvait
pas un habitant de Privilège-sur-Sonatine qu'il n'eût
assailli de questions incongrues un jour ou l'autre.
Le seul qui eût gagné au change était La Linotte.
Max avait renoncé à bourrer sa flûte de glaise et
s'asseyait maintenant à ses côtés des heures durant
pour l'écouter jouer et rêver tout à sa guise.

Cette nouvelle manière d'être avait d'abord soulevé des inquiétudes dans son entourage, mais
comme Max ne semblait pas s'en porter plus mal,
qu'il continuait de grandir et qu'il n'avait pas perdu
son appétit, ce qui est à Privilège-sur-Sonatine le
signe indicateur de la santé, on n'en fit pas grand
cas. Tout au plus ses questionnements lui valurent-
ils une réputation d'incorrigible distrait auprès de
ses camarades de jeux et de petit garçon sérieux
pour son âge auprès des adultes.

— Nous avons un fils sérieux pour son âge,
disait parfois le père à sa femme, du ton qu'il aurait
pris pour dire «il y a de l'orage dans l'air».

Elle, de son côté, ne pouvait s'empêcher de se
faire du souci. Elle n'estimait pas normal qu'un enfant sain résistât aux effluves d'une tarte posée sur
le rebord de la fenêtre pour se perdre dans la con-
templation d'un bousier roulant sa bouse.

— Toutes ces questions vont finir par lui donner
des idées, disait-elle parfois en ayant l'air de re-
douter une catastrophe.

Combien de jours, de semaines, de mois Max passa-t-il dans la solitude de sa chambre à regarder couler la rivière, à écouter bruire les feuilles dans les arbres, tout en se demandant ce qu'il faisait là à regarder et à écouter pendant que l'ange, installé sur une commode, noircissait de sa belle écriture régulière les marges de son antiphonaire?

De temps en temps, Max se tournait vers Torticolis, un lézard qu'il gardait dans un vivarium de sa fabrication. Il l'avait capturé alors que la bête, engourdie de soleil, se chauffait sur une roche et l'avait appelé ainsi à cause de la manière dont elle contemplait l'univers en faisant pivoter dans toutes les directions ses gros yeux globuleux, sans jamais tourner la tête.

— Pourquoi existons-nous tous les deux? lui demandait-il. Tu peux me dire, toi, à quoi tu sers avec ta grande langue gluante et tes orteils collants? À te bourrer de criquets, hein! Mais moi, qui suis-je, d'où viens-je, où vais-je?

Et Max posait sur le bout de son doigt une bestiole, criquet ou sauterelle, que le lézard faisait prestement disparaître d'un coup de langue si rapide que l'œil n'arrivait pas à la suivre. Puis il décampait sous un caillou ou se retirait sur une branche pour digérer, abandonnant Max à ses énigmes.

Ayant jugé qu'il en savait assez, l'ange alla au rapport. Dieu, qui pourtant en avait entendu d'autres, se montra intéressé par son récit.

— Privilège... dis-tu?

— Privilège-sur-Sonatine, précisa respectueusement l'émissaire ailé.

— Ça me rappelle quelque chose, mais c'est
vague, fit Dieu en se grattant le front d'un index
dont l'ange ne put s'empêcher d'admirer la perfection. Tu dis qu'il s'appelle Max et qu'il s'interroge
sur le sens de la vie?

— Amen, mon Seigneur et mon Dieu, répondit
l'ange avec soumission.

— Je ne sais pas pourquoi, mais J'éprouve
comme une envie d'aller le voir, ce petit. Et puis,
cela fait une éternité que Je n'ai pas pris de va-
cances. Tu n'as pas idée de ce qu'on peut s'anky-
loser pendant une éternité. Allons-y.

— Vous m'emmenez avec vous, dit l'ange qui rosit de confusion sous les regards bien peu innocents
que lui lancèrent à la dérobée quelques chérubins
jaloux.

— Pourquoi pas, dit Dieu. La solitude, c'est bon
pour les ermites.

Et l'esprit de Dieu plana ce jour-là au-dessus de
Privilège-sur-Sonatine au moment même où le village recevait une autre visite qui devait changer
radicalement l'existence de Max.

Privilège-sur-Sonatine, blotti tout au fond de son cratère, ressemble à une marmite que fermerait un couvercle de nuages. Tout autour, un pays d'une désolation navrante et sous cette calotte mouvante, un monde insoupçonné, fécond, presque luxuriant. Pas étonnant que Dieu Lui-même eût oublié son existence.

Sur le bord du versant sud, la plupart des maisons s'appuient contre le talus afin de profiter par derrière du mur naturel que forme l'escarpement et par devant de la vue sur les champs que traverse paresseusement la Sonatine. Celle-ci prend sa source quelque part dans les entrailles de la terre, émerge au grand jour sous la forme d'une cascade, ondule paresseusement à travers la vallée afin de faire durer le plaisir de se chauffer au soleil et s'enfonce, à l'autre bout du cratère, dans les profondeurs du roc.

L'ange consulta son Atlas à l'usage des émissaires célestes et y lut à voix haute pour la gouverne de Dieu que la vallée était le résultat d'un cataclysme survenu plusieurs millions d'années auparavant; une météorite se serait abattue sur la terre, creusant cette immense dépression circulaire au fond de laquelle, avec le temps, la vie qui aime la chaleur des espaces clos s'était confortablement installée.

Les visiteurs étaient rares à Privilège-sur-Sonatine. D'abord parce que si le cratère apparaît sur les cartes — et encore, pas sur toutes — sous la forme d'un cercle minuscule traversé d'un fin serpent bleu, le nom du village lui-même n'y figure pas; ensuite parce que la route qui y conduit ressemble plus au lit d'un ruisseau tari depuis des siècles qu'à une voie carrossable.

Quand, de loin en loin, un quelconque voyageur y faisait son apparition, c'était le plus souvent le fruit d'une erreur. Il s'adressait alors au premier venu et demandait son renseignement; parfois, s'il n'était pas pressé, il taillait une petite bavette avec son interlocuteur, s'étonnait de l'existence d'une telle communauté au milieu de nulle part et reprenait sa route sans s'attarder. L'apparition furtive nourrissait durant quelques jours les conversations au village; on en profitait pour se rappeler les précédentes, on commentait, on discutait, puis on oubliait et on retournait, qui à son champ, qui à ses poules.

Cette année-là, à la fin de l'hiver ou au début du printemps — à Privilège-sur-Sonatine, les saisons s'enchaînent si bien les unes aux autres qu'il est difficile de savoir quand une finit et quand l'autre commence — un singulier cortège était apparu sur la crête du cratère.

C'est La Linotte, le garde-biques sourd et muet, qui le premier l'avait aperçu au petit matin en rassemblant ses chèvres qui paissaient dans une des boucles de la Sonatine, là où on trouve les herbes les plus tendres. Il avait aussitôt alerté la boulangère, comme lui tôt à l'ouvrage; celle-ci à son tour s'était chargée de répandre la nouvelle dans tout Privilège.

Trois voitures de bois, des roulottes bringuebalantes tirées par des bêtes d'une maigreur ahurissante, descendaient prudemment le long du chemin en pas de vis qui menait au village.

De boulangère en forgeron, de forgeron en cafetier, de cafetier en vieillard oisif, le bruit qu'une étrange caravane arrivait au village fit le tour des habitants comme poussé par une brise, de sorte que lorsqu'il atteignit les oreilles de Max, la moitié des habitants était déjà rassemblée autour d'un terrain vague qui jouxtait le cimetière où la troupe s'était installée.

Les trois roulottes stationnaient en demi-cercle. Débarrassés de leurs harnais, les six chevaux qui les tiraient, des haridelles affligées de toutes les tares, se nourrissaient paresseusement de ronces et d'herbes rendues amères par les efforts qu'elles avaient dû déployer pour se frayer entre les pierres un chemin vers la lumière. Jamais Max n'avait vu d'animaux si efflanqués. Au village, d'habitude, on en faisait de la colle bien avant qu'ils n'atteignissent un tel état de décrépitude.

— Ce sont des bêtes de cauchemar, dit l'ange en frissonnant de toutes ses plumes argentées.

— Je te trouve bien impressionnable, dit Dieu. Je t'accorde toutefois que leur apparence invite les questions sur le sens de la vie.

Autour des roulottes, on s'affairait. Trois grands gaillards, minces et musclés, à l'œil et au cheveu noir, tous trois portant à l'oreille un anneau d'or, allaient et venaient, transportaient des caisses, fichaient dans le sol des poteaux autour de ce qui semblait être une immense toile faite de pièces multicolores.

À leurs côtés, légèrement à l'écart, trois femmes vêtues de robes qu'un usage répété avait rendues ternes arrimaient les tendeurs d'un édicule en toile sur lequel étaient peints en tons criards le dessin d'une boule de verre, quelques cartes à jouer ainsi qu'un assortiment d'étoiles de toutes tailles et de toutes les couleurs.

Un énorme individu, rond comme une barrique et dont le visage rouge s'ornait d'une moustache en forme de silhouette d'oiseau, passait d'un groupe à l'autre, aboyant des ordres dans une langue que Max ne comprenait pas. Pas plus que les autres enfants, envoyés en éclaireurs par leurs parents et qui suivaient de loin ces activités en dissimulant leurs gloussements derrière leur mains.

Au bout d'une heure et demie — de mémoire de Sonatinois, jamais un étranger n'était demeuré si longtemps au village — les trois hommes et leur patron prenaient du recul afin de juger de leur œuvre: au milieu du terrain vague se dressait à présent une tente bariolée aussi longue et aussi haute que les plus longues et les plus hautes granges de Privilège. Sur une large banderole au-dessus de la marquise qui menait à l'ouverture, Max put lire: *Cirque Pavoni, merveilles et mystères.*

— Un cirque, dit l'ange avec une lueur d'émerveillement dans les yeux.

— Je ne garde pas un très bon souvenir de ces

spectacles. *Memento Roma*, répondit Dieu, son bel index pointé vers le ciel.

L'ange se mordit la lèvre et détourna le regard.

Le gros homme affichait un sourire de satisfaction. Il distribua de solides claques dans le dos de ses aides, qui disparurent à l'intérieur d'une des roulottes, dit quelques mots à voix basse aux femmes et se tourna vers les enfants à qui il adressa un clin d'œil complice.

— Minouta, fit-il de sa voix grasse tout en levant une main aux phalanges poilues.

Il pénétra à son tour dans une roulotte et en ressortit presque aussitôt muni d'un tambour retenu sur son impressionnante bedaine par un baudrier qui lançait des feux.

Cérémonieusement, il se planta devant les enfants, porta les baguettes à ses moustaches, compta «Eine, two, tre» et les abattit contre la peau du tambour qui roula comme un tonnerre. Puis il se mit en marche, suivi immédiatement par le groupe d'enfants qui s'efforçaient de le suivre au pas cadencé.

Max, intéressé, suivit le cortège improvisé sans pour autant s'y intégrer, comme mû par une curiosité scientifique.

À mesure que le tambour avançait dans l'unique rue de Privilège-sur-Sonatine, des têtes apparaissaient aux fenêtres, des hommes et des femmes sortaient sur le pas de leur porte pour constater *de visu* d'où provenait l'inhabituel vacarme.

Lorsque le gros homme eut jugé qu'il avait attiré l'attention d'un nombre suffisant de villageois, il fit taire son tambour d'un dernier coup de baguette.

D'une voix étonnamment puissante, il salua la

population de Privilège-sur-Sonatine. Il parlait une drôle de langue, émaillée de mots inconnus, mais tous comprirent qu'il s'appelait Pavoni et qu'il était le maître du cirque du même nom. Ce soir et ce soir seulement, dit-il en substance, les habitants de Privilège-sur-Sonatine auraient la chance unique de voir et d'apprécier les merveilles de sa troupe avantageusement connue dans tout l'hémisphère nord pour l'originalité de ses numéros.

— Vinez discourvir los secretos de la vita qué le Grand Pavoni enlévéra les voiles divant vous.

Max n'avait jamais vu de cirque de sa vie.

Il ne possédait pas non plus de notion précise de ce qu'était l'hémisphère nord.

Mais aux mots de *secretos de la vita*, il s'alluma comme la tête d'un sapin frappé par la foudre. Bien qu'il ne les eût jamais entendus, il en comprenait le sens. Ces quelques syllabes lancées à la cantonade par un gros homme rouge réveillaient d'un seul coup toutes les questions qui l'assaillaient depuis tant de mois. Mais surtout, elles ranimaient l'espoir de leur trouver enfin des réponses.

Il y eut un autre roulement bref et le Grand Pavoni ajouta qu'en attendant le spectacle, Mme Hermanina, «una voyante qué l'avénir, il n'a pas de sicrets pour elle», se tiendrait à la disposition de ceux qui voudraient la consulter.

Le reste de la journée se passa dans une sorte de fébrilité inédite à Privilège-sur-Sonatine, même la veille des grandes fêtes annuelles.

Dieu fit signe à son ange de prendre un peu d'altitude pour mieux observer le village.

Il y avait un je-ne-sais-quoi de tendu dans

l'atmosphère qui rendait les Sonatinois à la fois souriants et impatients. On allait et on venait d'une maison à l'autre, on s'arrêtait dans la rue pour échanger
furtivement des impressions et les regards se tournaient invariablement vers les deux édifices de toile
qu'une brise légère agitait comme s'ils avaient été
dressés sur des nuages.

Ce jour-là on sentit à plus d'une fenêtre l'odeur
âcre des pommes de terre qu'une ménagère distraite avait laissé attacher au fond de la casserole et
plus d'un marmot dut s'époumoner plus longuement que d'habitude pour que sa mère, en grande
conversation avec ses voisines, vînt changer sa
couche ou lui donner le sein.

Du côté des hommes, on se voulait plus calme,
plus réservé; mais il était facile de voir qu'ils fau-
chaient plus vite qu'à l'accoutumée, bêchaient avec
moins de méthode, sarclaient d'une manière plus
brouillonne et s'interrompaient volontiers, sous le
prétexte le plus futile, pour se rendre au cœur du
village, lorgner du côté des tentes.

Celle de Mme Hermanina faisait l'objet d'une curiosité méfiante. De petits groupes de trois ou quatre
personnes se formaient à proximité, conciliabulaient
pendant des temps interminables, s'éloignaient, re-
venaient puis se séparaient sans que personne osât
pénétrer dans le singulier cabinet.

Mme Hermanina, s'étonnant sans doute du manque
de clients, émergea enfin de son cagibi de toile. Elle
se dirigea vers un groupe d'enfants qui la laissèrent
s'approcher, trop étonnés pour fuir.

Elle sourit d'une manière rassurante et prit la
main du plus petit d'entre eux.

— Alora, chico, tou né veux pas connaître l'avénir?

Le petit jeta un œil inquiet du côté de ses camarades. Il fit signe que non de la tête.

Mme Hermanina abandonna la petite main moite,
non sans l'avoir observée à la sauvette. Son sourire
se figea: l'intérieur de la menotte était lisse comme
les fesses d'un bébé.

Elle saisit celle d'un garçon un peu plus vieux
qui avait une mèche de cheveux paille devant les
yeux.

— Et toi?

Elle regarda la main tendue qui tremblait légèrement. Une fois de plus, son visage se crispa. La
paume de l'enfant était comme une page vierge, à
croire que son propriétaire n'avait ni passé ni futur.
Mme Hermanina avait du mal à dissimuler son éton-
nement.

— Moi, je voudrais savoir, lança une voix.

Mme Hermanina se retourna. Max se tenait à
quelques pas du groupe. Il s'avança en hésitant pendant que les autres reculaient en formant un grand
cercle.

— Ah! Oune jeune uomo qué l'est brave.

Mme Hermanina vint à la rencontre de Max, prit
sa main dans la sienne et y plongea son regard. Son
visage s'assombrit puis s'éclaira à nouveau comme
les montagnes lorsqu'un gros nuage de passage
masque un instant le soleil.

— Vieni, dit-elle.

Sans abandonner sa main, elle entraîna Max dans
sa tente. Les autres enfants se regardèrent, per-
plexes, et dès que la voyante et son jeune client

eurent disparu, ils se pressèrent contre les murs souples.

Dieu descendit au-dessus de la tente bien que ce ne fût pas nécessaire puisqu'Il a l'ouïe infiniment fine.

Mme Hermanina fit asseoir Max sur un tabouret devant elle et scruta attentivement sa main tendue.

Le cœur de Max battait à tout rompre. Mais ce n'était pas de peur. Il ressentait seulement — avec plus d'intensité — ce sentiment d'attente excitée qu'il avait souvent éprouvé lorsque, pêchant dans la Sonatine, il voyait le flotteur de sa ligne s'agiter à la surface de l'eau avant de s'y enfoncer tout à fait.

Mme Hermanina le regarda dans les yeux.

— Tou me rassoures, mon petit. Dans les autres mains, je n'ai rien vou. Niente, nada. Mais toi, tou as une bella manita.

— Qu'est-ce que vous voyez?

La voix de Max était blanche. Il n'avait plus de salive tant son excitation était grande.

— Jé vois oune départ, uno voyage. Jé vois des rencontres, des cailloux, des oiseaux et dé l'eau. Beaucoup dé l'eau. Et puis des loumignons, des feux, de la brillance. Jé vois la vie, deux vies. La seconde plous extraordinaria qué la prémière. Ta main est pleine de vie, mon pétit. C'est tout.

Max reprit sa main et la regarda. Il ne voyait qu'un fin réseau de plis qui n'étaient pas sans rappeler, à cause de la poussière mêlée à la sueur, des lits de rivières boueuses.

— La vie. Un voyage?

— Si.

Max se leva et sortit de la tente. Aussitôt il fut

assailli par ses camarades qui le pressèrent de question.

— Qu'est-ce qu'elle a dit?

— Qu'est-ce qu'elle a vu?

— C'est quoi, ton avenir?

Max n'avait pas envie de répondre. En fait, il ne voyait personne et n'entendait plus rien. Sans cesser de regarder sa main gauche qu'il tenait dans la droite comme un oisillon qu'on vient de tirer de son nid, il marcha vers sa maison.

Et les mots *voyage* et *vie* tourbillonnaient dans sa tête comme des feuilles balayées par les bourrasques de l'automne.

Les nuages au-dessus du cratère se teintaient de rose et glissaient tout doucement vers le violet avant de passer au gris puis au noir. Mais personne, pas même Max, dont c'était pourtant un des spectacles préférés après une journée de jeu ou de travail, n'était demeuré sur le pas de sa porte pour les observer.

Tout Privilège-sur-Sonatine s'était donné rendez-vous au cœur du village, à proximité des tentes, deux bonnes heures avant le début du spectacle. Les hommes avaient mis leurs beaux habits, les femmes, leurs chapeaux fleuris, et les enfants qui se pourchassaient dans la foule avaient dû prendre un bain, si bien que la plupart avaient les cheveux fous.

L'atmosphère était électrisante.

Une musique étincelante dispensée par des beugloirs accrochés aux quatre coins du grand chapiteau se mêlait à l'odeur pénétrante des arachides brûlantes qu'un des aides de Pavoni faisait griller devant l'édicule de Mme Hermanina la voyante, transformé pour les besoins de la cause en comptoir de friandises.

Tous les sens assaillis en même temps par le bruit, les odeurs et les couleurs, Max avait l'impression de vivre un rêve. Privilège-sur-Sonatine était transfiguré. C'est à peine s'il en reconnaissait les habitants, pas tant à cause de leurs vêtements — une nouvelle robe ou une nouvelle veste donnent parfois l'illusion d'une transformation radicale — qu'à cause de leurs attitudes, de leurs comportements inhabituels.

La seule joie des retrouvailles n'expliquait pas que des gens qui s'étaient vus le matin même à la forge ou à l'auberge se saluassent à grands renforts de cris et d'accolades comme après des mois d'absence. Telle est la force de la fête.

Bien qu'il trépignât lui aussi d'impatience, Max n'arrivait pas à se mettre au diapason des villageois. Sa fébrilité à lui ressemblait davantage à une sourde appréhension qu'à une exubérance joyeuse. L'agitation qui l'entourait et qui s'amplifiait à mesure que l'heure avançait l'irritait même, et ce n'est pas sans éprouver une sorte de gêne qu'il regardait son père et sa mère se départir de leur réserve habituelle pour embrasser bruyamment leurs connaissances. À un certain moment, il se surprit à tirer son père par le bras lorsqu'il le vit retirer sa veste pour tracer de grands moulinets au-dessus de sa tête afin de mieux attirer l'attention d'un voisin.

— Arrête, on va nous voir, avait-il dit, rouge de confusion.

— Mais j'espère bien, répondit le père, en reprenant de plus belle son sémaphore.

— Ils se conduisent comme de grands enfants, dit l'ange, tout sourire.

— C'est bien ce qui m'inquiète, répondit Dieu, l'air soucieux. Les Romains aussi, dans le temps.

Il y eut des crachotements étranges dans les beugloirs. La musique s'arrêta; suivit un sifflement aigu et la voix de Pavoni, déformée par le système de reproduction sonore, invita la foule à pénétrer dans l'ordre et la discipline sous le chapiteau.

Un murmure parcourut la populace, qui modéra immédiatement ses transports, et Max sentit tout à coup son ventre envahi par un essaim de papillons.

On entra dans la tente comme on entre à l'église. À l'intérieur, il régnait une atmosphère quasi religieuse; dès le seuil, vous saisissait à la gorge une épaisse fumée qui estompait les gradins aménagés tout autour d'une arène circulaire.

Max s'étonna que l'espace parût plus vaste que ne le laissait supposer l'extérieur de la tente, ce qui contribuait à accentuer l'impression de mystère qui auréolait, depuis son arrivée, le cirque Pavoni.

Des faisceaux de lumière colorée balayaient sans arrêt l'arène et les gradins, entraînant le regard qui n'arrivait pas à fixer un point précis.

Au-dessus de la piste, il semblait y avoir dans la toile une ouverture de même forme par où on apercevait une partie du ciel étoilé. Un ciel que Max ne connaissait pas, saupoudré de constellations nouvelles, plus brillantes que celles qu'il avait l'habitude de contempler par la fenêtre de sa chambre, avant de s'endormir.

Les beugloirs enrhumés crachotèrent de nouveau; les projecteurs ralentirent leur course, se fondirent au centre de la piste en un cercle blanc, puis s'éteignirent tout à fait.

La foule exhala un ahhh! de soulagement.

— Ça commence, dit l'ange qui s'était installé avec Dieu dans les cintres.

— Hum, fit Dieu.

Il y eut un roulement de tambour, et une pastille bleue illumina deux bandes de tissu drapées qui devaient figurer un portail dans lequel s'encadra l'imposante personne de Pavoni, flamboyant comme un cabochon dans la sertissure de son costume à paillettes bleu et or.

— Bienvinou dans lo circou Pavoni qué je souis lo maestro. Ci soir, li artisssstes di lo troupo vont s'introdouire dans vestra vita comme ouné rêverie dans vestro dodo. Le circou Pavoni, c'est l'imago dé la vita, c'est lou mystério dé la créationa. Alora, por déboutare lo soirée, j'avons l'immensi honorabilita di presentare: la parada di lou circou.

La lune bleue s'éteignit pour se rallumer quelques instants plus tard. Elle pointait cette fois sur un autre portique, un simple panneau de velours tendu entre deux montants grossièrement badigeonnés de peinture évoquant une colonnade antique. Une musique retentit où prédominaient les cuivres et la troupe fit son entrée. Elle se composait en tout et pour tout de quatre personnes, incluant le gros Pavoni qui fermait la marche.

Venait d'abord un long échalas qui marchait les bras en croix comme un enfant qui imite un aéroplane. Il était suivi d'un être rampant, sans jambes ni bras, qui agitait à la manière d'un phoque ses mains rattachées directement aux épaules. Cette boule de chair était tenue en laisse par un troisième personnage, un nain revêtu d'une peau de léopard, qui se frappait la poitrine de sa main libre. Enfin, Pavoni, marchant au pas de l'oie, sollicitait les applaudissements de la foule tout en lançant vers elle des poignées de poussière brillante.

Le groupe fit une fois le tour de la piste avant de retourner en coulisse, hormis Pavoni qui se planta au centre du cercle pour annoncer le premier numéro.

— Signoras et Moussiés, l'équilibraire Paquito.

Les villageois applaudirent.

Le grand échalas reparut, tenant dans ses mains ce qui semblait être un cylindre mais qui se révéla, une fois posé par terre, une longue bande de toile large d'une dizaine de centimètres enroulée sur elle-même. D'un coup de pied, Paquito l'équilibraire la déroula et entreprit de marcher dessus au son d'une valse boiteuse. Ses grands bras étendus, il avançait lentement avec toute la précaution de celui qui risque à chaque pas son existence. Au milieu du ruban, il marqua un temps d'arrêt, puis se retourna brusquement, accompagnant sa volte-face d'un entrechat. Il y eut ensuite un roulement de tambour durant lequel le grand équilibraire ouvrit les jambes et les laissa glisser le long du galon pour se retrouver chevauchant ce dernier dans un grand écart qui arracha aux hommes de l'assistance un murmure sympathique d'admiration mêlée de douleur. Paquito se remit debout et esquissa sur le ruban quelques pas de danse.

Max regardait avec incrédulité. Il tourna son regard vers son père. Ce dernier avait la bouche ouverte et un long filet de salive coulait le long de son menton jusque sur sa chemise. Pour autant qu'il pût en juger, tous les visages qui l'entouraient affichaient ce même air béat. Sa mère, ses oncles, ses connaissances, étaient littéralement subjugués par les mouvements du grand escogriffe. Même le vieux grand-père, la mâchoire pendante, bavait d'admiration. Max n'en croyait pas ses yeux. Tous ces gens voyaient-ils la même chose que lui? Ce genre de prouesse, il n'est pas un enfant du village qui ne s'y fût livré un jour sur le tronc d'un arbre mort ou sur une ligne tracée dans le sable de la plage et personne, personne ne s'en était jamais émerveillé.

Le fracas d'une cymbale ramena Max à la piste. Paquito semblait en difficulté. Les mouvements de ses bras, jusqu'à présent d'une élégance et d'une grâce félines, devinrent désordonnés. Penché vers l'avant, il essaya de se propulser vers l'arrière en faisant de grands moulinets qui l'entraînèrent trop loin. Un ahhh d'angoisse sortit de toutes les gorges pendant que Paquito dérapait et s'abattait comme un arbre sur le sol à côté du ruban. Une femme hurla. Un enfant se mit à pleurer.

Le nain surgit des coulisses et courut comiquement jusqu'au grand corps étendu sans mouvement, suivi de Pavoni qui chercha immédiatement à calmer la foule. Max vit les visages autour de lui exprimer la plus grande des angoisses.

— C'est oune accidenté qué cé sont des choses qui arrivent porque c'est la vita qui est ainsi. Paquito n'a pas eu de chance. Le spectacolo va continoué. Toi, le pitit, sortez-moi cé cadavero dérisorio. Et place à lé spectacolo.

Max regardait le nain qui tirait le corps de l'équilibraire par les pieds. Quelque chose qui ressemblait à une nausée naissait au fond de sa gorge et sa salive prenait subitement un goût amer. Alors qu'il percevait autour de lui des vagues de compassion et d'inquiétude, il n'éprouvait lui-même que le dégoût de se sentir floué. Il n'arrivait pas à comprendre la réaction de ceux qui l'entouraient. Tout le monde était donc aveugle? Le grand échalas n'avait rien, c'était bien évident. On ne se blesse pas lorsqu'on tombe seulement de la hauteur de ses propres jambes. Combien de fois cela lui était-il arrivé à lui sans que personne s'en émeuve? Même sa mère, d'habitude impassible, n'avait pu retenir un cri lorsque Paquito était tombé et elle continuait de pleurer en silence, serrant dans ses doigts un mouchoir.

— L'otarisignorina Carla, annonça Pavoni.

Instantanément, l'auditoire retrouva sa sérénité et une fois de plus, les applaudissement fusèrent.

La chose sans bras ni jambes que le nain tenait tout à l'heure en laisse roula jusqu'au milieu de la piste. Elle émit un son rauque, se battit les flancs de ses mains et dressa la partie supérieure de son corps comme pour saluer la foule. Depuis la coulisse, Pavoni lança un ballon multicolore que la chose reçut en plein visage.

— Rheu, rheu! fit-elle. Et le ballon roula jusqu'aux pieds des premiers spectateurs.

Un autre ballon surgit de la coulisse. Cette fois, l'être approximatif essaya de le bloquer avec son front. Le ballon rebondit dans la foule et fut immédiatement suivi d'un troisième qui prit le même chemin. Puis d'un quatrième et d'un cinquième.

— Rheu, rheu! Rheu, rheu! protestait l'otarisignorina qui essayait à présent de se protéger la face de ses mains trop courtes.

Elle en reçut un juste derrière l'oreille.

— Rheuuuuuuuuuu!

Puis quelqu'un dans l'auditoire eut l'idée de renvoyer sur la piste un des ballons qui s'écrasa sur le nez de la créature.

Un rire gras provint de la coulisse que le public prit immédiatement pour une approbation. D'autres spectateurs recueillaient à leur tour les ballons qui tombaient à leur portée et les renvoyaient de toutes leurs forces au milieu de l'arène où certains d'entre eux atteignaient l'otarisignorina avec un bruit mat.

D'autres ballons continuaient d'arriver de la coulisse et rebondissaient dans la foule qui se les arrachait, chacun voulant avoir la chance de viser l'otarisignorina. Celle-ci cherchait à présent à s'enfuir. Mais sitôt qu'elle roulait dans une direction, un ballon bien placé l'en empêchait et elle devait rebrousser chemin pour éviter ce qui devenait maintenant un pilonnage.

Max éprouvait de plus en plus le goût de vomir.

— Rheu, rheuuuuu!

La créature s'affolait. Visiblement elle souffrait. Et plus elle manifestait sa détresse, plus le nombre de ballons qui l'atteignaient sur la tête et le corps augmentait. Chaque boulet bien placé faisait croître l'enthousiasme du public.

— Vous aviez raison, dit l'ange penaud, on dirait Rome.

— Pas tout à fait, dit Dieu, mais cela y ressemble. Sans doute Pavoni manque-t-il de moyens.

Des dizaines, des centaines de ballons traversaient maintenant l'air en sifflant au milieu des cris et des rires d'un auditoire proche du délire. On se les lançait de part et d'autre de l'arène en les faisant rebondir au milieu de la piste, contre la silhouette presque inerte de l'otarisignorina qui ne se défendait plus que faiblement, agitant ses petites mains comme un oiseau blessé ses ailes inutiles.

Max aurait voulu crier «arrêtez». Il lui sembla même qu'il avait hurlé. Mais le mot était resté pris dans sa gorge. Ou bien il s'était noyé dans le tonnerre de rires qui remplissait la tente.

Pavoni parut et d'un geste calma le public.

Quelques ballons attardés décrivirent des courbes vicieuses et roulèrent jusqu'à ses pieds avant de s'immobiliser tout à fait.

— Rheueueueueueue! gémit la forme allongée par terre.

Le nain, muni d'un balai quatre fois grand comme lui, commença à nettoyer la piste pendant que Pavoni soulevait la créature au visage rouge et gonflé et la présentait au public comme un général présente à ses troupes la dépouille d'un ennemi.

On applaudit à tout rompre.

— Pourquoi ces gens sont-ils si cruels, songea Max.

— Il a bien des choses à apprendre, ce petit, dit Dieu. Mais Je trouve rassurant de le savoir inquiet.

L'ange éprouva une envie subite de se moucher, mais se contenta de renifler, le plus discrètement possible.

Pavoni pavoisait à présent, seul au milieu de la piste. La lumière d'un spot ambré le frappait par en dessous, ce qui conférait à ses traits un air d'outre-tombe.

— Signorines et Mistères, oune numéro stoupéfiant: lo lancer dé lo nabot.

— Quoi! fit une voix nasillarde dans la coulisse.

Le nain courut vers Pavoni en le menaçant de son balai. Bien malgré lui, Max sourit de voir ce petit personnage, dont les pieds tors rendaient la démarche ridicule, affronter la gigantesque boule de graisse que représentait son patron.

— Ce n'était pas prévu au programme! Je proteste. Il n'y aura pas de lancer du nabot! Pas ce soir! Tu me l'avais promis.

— La vita, elle est remplie d'imprévous, dit Pavoni en faisant un geste vers la coulisse.

Les trois préposés aux arachides transformés pour l'heure en garçons de piste s'approchèrent. L'un portait une sorte de harnais de cuir, les deux autres de longs fouets qu'ils faisaient claquer dans l'air.

Le sourire de Max disparut. Au même moment, un cri de joie jaillit de toutes les gorges.

Le nain se retourna pour fuir. En vain. Le plus grand des trois hommes avait déjà lancé son fouet à l'horizontale et la longue queue s'enroula autour des jambes arquées du nain, qui se retrouva face contre terre. Les deux autres se précipitèrent sur lui sous les clameurs du public.

Il y eut une bousculade durant laquelle on perçut, à travers les hurlements et les sifflements, quelques cris aigus. Puis les trois hommes se retirèrent, abandonnant sur le sol le nain, réduit à l'impuissance dans le harnais de cuir qui l'immobilisait.

Il était couché sur le ventre et une espèce de boucle saillait dans son dos.

Une musique triomphante secoua le chapiteau. Pavoni s'approcha, passa une de ses grosses mains dans la boucle et souleva le nain comme il l'aurait fait d'un seau d'eau ou d'une valise. Bien planté sur ses jambes, il imprima à son fardeau un mouvement de balancier d'avant en arrière.

La foule trépignait en se balançant de gauche à droite au rythme de ses gestes.

Max éprouvait une grande lassitude. Prisonnier entre son père et sa mère, il était forcé de suivre le mouvement, mais à chaque oscillation, il avait le sentiment que quelque chose en lui s'étirait, se tordait, se tendait jusqu'à atteindre le point de rupture.

Pavoni décrivait à présent avec son bras un grand cercle.

— Ouno, zwein, tres, quatre... dit-il d'une voix dans laquelle on sentait l'essoufflement.

La foule prit le relais:

— Cinq, siiix, seeept, huuuit.

Max se boucha les oreilles de ses deux mains. Il aurait voulu fermer les yeux, mais une force beaucoup plus puissante que sa volonté l'en empêchait.

— Neuuuf...

— Et... dééécimo, rugit Pavoni.

Alors tout se passa très vite, mais pour Max, cela sembla durer des heures. Il vit la main de Pavoni s'ouvrir. Il lut la panique dans les yeux du nain et vit sa bouche se déformer dans un rictus d'abominable frayeur. Il entendit le han de Pavoni immédiatement suivi du hurlement d'effroi du nain, qui lui vrilla le cerveau en dépit de ses mains serrées sur ses oreilles. Il vit le nain recroquevillé s'élever dans les airs en laissant derrière lui une traînée de particules étincelantes et traverser l'ovale qui s'ouvrait dans la voûte du chapiteau sur un ciel d'étoiles inconnues.

Et il sentit, dans son ventre, dans sa tête, dans ses membres, dans son cœur, le claquement sec d'une cassure.

Il retomba lourdement sur son siège. Subitement, il était devenu étranger à tout ce qui l'entourait. Au spectacle, mais aussi au lieu et aux gens rassemblés. Les bruits lui parvenaient comme au travers de tampons d'ouate et, en promenant son regard sur la foule agitée, il lui sembla que celle-ci se faisait plus petite, minuscule, dérisoire, à ce point insignifiante qu'il suffirait d'un souffle pour qu'elle disparût.

Il en avait assez de ce cirque, de cette foule au bord de l'hystérie, de ses parents surtout qui participaient au délire, de Privilège-sur-Sonatine, de tout. Désormais, tout était clair: il devait quitter ces lieux où il n'avait plus sa place.

— Un étranger. Je suis un étranger.

Le mot bourdonnait dans la tête de Max comme un frelon prisonnier entre deux vitres.

Étendu dans son lit, le bras replié sur ses yeux, le corps secoué par les sanglots, il se laissait inonder par les images qui se bousculaient dans son cerveau, comme tout à l'heure il s'était laissé tremper par la pluie fine qui tombait sur le village désert.

Dieu, assis au pied du lit, les genoux repliés dans sa barbe, le regardait avec compassion. L'ange se désolait et jetait de temps à autre un regard furtif vers son Maître comme pour lui dire: «Faites quelques chose. Seigneur, ayez pitié.»

— J'ai beau être omnipotent, il n'y a rien que Je puisse faire contre la peine d'un enfant, dit Dieu qui lisait dans ses pensées.

Max n'avait pas attendu la fin du spectacle. Il avait profité du délire qui avait salué la prestation de Pavoni et de son nain pour s'éclipser comme un chat. À peine avait-il glissé à l'oreille de son père qu'il rentrait.

— J'ai mal au cœur, avait-il murmuré.

Le père avait été quelque peu étonné, mais habitué aux bizarreries d'humeur de son fils et par ailleurs happé par le tourbillon d'enthousiasme de ses concitoyens, il avait mis ce malaise sur le compte des arachides et ne s'en était plus soucié.

Dehors, Max n'avait guère senti la bruine sur ses joues brûlantes.

Au dégoût avait succédé la colère, une rage impuissante qu'il n'avait jamais ressentie auparavant, même quand on le punissait pour une incartade qu'il n'avait pas commise, même quand un camarade plus vieux que lui s'emparait par la force de son cerf-volant ou de ses billes.

Il était entré dans la maison en trombe, faisant sursauter le chat qui ronronnait près du feu où quelques braises achevaient de mourir. Il s'était rendu directement dans sa chambre pour pleurer tout son soûl. Et réfléchir. Mettre de l'ordre dans sa tête.

En vain.

Les images se bousculaient dans son crâne comme les figures d'un jeu de cartes lancées à la volée: les rires de la foule, la face affolée du nain, les yeux de Pavoni exorbités par l'effort, le grand échalas qui s'écroulait et les ballons, les centaines de ballons qui se croisaient dans l'air avant de frapper la créature gémissante au milieu de la piste.

Il y avait aussi des visages, ceux de ses amis et de leurs parents, ceux des habitants du village, tous déformés par le même rire, tous dégoulinants d'une joie féroce et malsaine qu'il n'arrivait pas à comprendre; à travers cette tempête, telles deux oasis de paix, les yeux de Mme Hermanina, la voyante. Ils prenaient toute la place, lui mangeaient le visage, des yeux gris, souriants.

Que lui avait-elle dit? N'avait-elle pas parlé de voyage, de départ?

Partir. C'est ce que faisaient tous les étrangers de passage à Privilège-sur-Sonatine. Ils arrivaient, puis ils repartaient.

— Un étranger. Je suis un étranger.

Cela sonnait comme un glas, tout à la fois source d'angoisse et d'apaisement. Il possédait à présent un indice sur sa nature profonde: sans trop savoir qui il était, il savait désormais qui il n'était pas. Et cette révélation faisait basculer son univers dans la tourmente.

Et puis il y avait cette décision qui s'était imposée avec la soudaineté d'un orage d'été: partir.

Max respirait maintenant un peu mieux.

Il se leva et commença à faire son bagage. Qu'apportait-on en voyage? Des ticheurtes, des bloudjinnes, des chaussettes? Il fourra tout pêlemêle dans une taie d'oreiller et s'assit sur le lit.

Dieu se leva en souriant pour lui faire de la place. L'ange fit de même et s'appuya contre le chambranle d'une manière nonchalante. La pointe de ses ailes traînait par terre.

— Il a du ressort, dit Dieu. Un rien vous émeut, vous autres, les anges. C'est tout à votre honneur, mais il faut prendre garde que votre miséricorde ne devienne pitié.

L'ange eut l'air contrit.

Max éprouvait à présent un grand calme, comme si une main rassurante s'était posée sur sa nuque. Il était hors du temps, pour ainsi dire.

Il balaya la pièce du regard, cherchant ce qu'il pourrait bien emporter d'autre avec lui. Sa chambre, pourtant si familière, lui apparut comme celle d'un autre.

Les objets les plus intimes, sa collection de cailloux colorés, ses livres de contes, sa ferme miniature moulée dans les glaises de la Sonatine, les trésors recueillis çà et là au hasard des promenades, champignons séchés, nids d'oiseaux, branches aux formes torturées, insectes momifiés, toutes ces choses qui, à peine quelques heures auparavant, composaient un univers sur lequel il régnait en monarque absolu, lui apparaissaient tout à coup privées de signification. Il n'en restait plus que des enveloppes vides, insignifiantes, comme cette peau de couleuvre diaphane abandonnée près d'un rocher lors de la mue annuelle, souvenir d'un être qui poursuivait sa vie ailleurs.

Quelques images du cirque ressurgirent: ses parents, son père surtout, excité jusqu'à l'hystérie, qui manquait de mains pour applaudir au lancer du nabot; les autres habitants du village, ceux-là mêmes qu'il côtoyait chaque jour et qu'il croyait connaître, leurs visages rouges et congestionnés, secoués de rires stupides. Mais cette fois, il n'eut aucune peine à les chasser.

La porte claqua au rez-de-chaussée.

— Ti-garçon! Dors-tu?

C'était la voix de son père. Son timbre sonna désagréablement aux oreilles de Max. Et puis ce surnom de ti-garçon lui parut tout à coup d'une incommensurable platitude. Pour la première fois, il se rendait compte que son père ne l'avait jamais —

ou l'avait rarement — appelé par son nom. Il avait toujours préféré ce «ti-garçon» anonyme qui aurait pu convenir à n'importe quel enfant du village. Que les autres, les parents éloignés, les voisins, les connaissances l'appelassent «p'tit» ou encore «bout d'homme», cela passait encore. Mais que son propre père refusât d'employer le nom même qu'il avait choisi pour le distinguer de ses semblables, ce nom qui le faisait lui et non pas un autre, cela le frappait subitement comme une gifle. Max nota qu'une fois hors de chez lui, il ne laisserait jamais plus personne l'appeler autrement que Max.

— Oui, tu m'as réveillé, mentit Max d'une voix qu'il s'efforçait de rendre paresseuse.

— Tu n'es pas malade? demanda la mère.

— Ça va mieux. Bonne nuit.

— Bonne nuit.

Puis la conversation s'engagea entre le père, la mère et le grand-père. Max comprit qu'on parlait du cirque. De quoi d'autre aurait-on pu parler? On en parlerait certainement longtemps, non seulement ici mais aussi au village, dans les champs, à la baignade, à l'église, dans la rue. Pendant des semaines, voire des mois. Cette perspective l'indigna et l'affermit dans sa résolution de partir.

Devait-il laisser un mot?

Pour quoi faire? Dire qu'il s'en allait? On s'en rendrait bien compte le lendemain matin en voyant le lit vide. Quant à s'expliquer, Max n'en avait pas le courage. D'autant que, réflexion faite, il n'était pas certain de pouvoir formuler ses raisons. Comment justifier l'instinct ou les mouvements du cœur? Ce soir, Max ne savait rien, il sentait.

Il n'en prit pas moins un crayon de cire et un bout de papier sur lequel il griffonna: *Merci pour tout*. Ainsi, on saurait qu'il n'avait pas disparu mystérieusement, victime de quelque enlèvement, mais qu'il avait choisi de partir. Et il signa avec un crayon d'une couleur différente: MAX.

Il prit ensuite la taie d'oreiller transformée en baluchon, en noua l'extrémité ouverte et la lança par la fenêtre.

Un dernier regard sur la chambre.

Dans le vivarium, Torticolis, le lézard, persistait à vouloir gravir les parois lisses de sa prison de verre. Certaines bêtes n'apprennent jamais.

Max le saisit par la queue, assez près du corps pour qu'elle ne se détache pas, et amena l'animal à la hauteur de ses yeux.

— Toi aussi, tu es un étranger. Alors, file.

Il déposa le reptile sur le bord de la fenêtre.

Torticolis se tint un instant immobile, cherchant à s'orienter en regardant simultanément dans toutes les directions grâce à ses drôles de globes oculaires pivotants; puis il disparut dans l'air frais de la nuit.

Max enjamba le chambranle à son tour. Au moment où il passait la tête, la vitre lui renvoya son reflet. Était-ce un effet des imperfections du verre? Son visage lui parut transformé. Il avait perdu un peu de sa douceur, les traits paraissaient plus accusés, les yeux, plus sévères.

L'air frais s'emmêla dans ses cheveux. La bruine avait cessé, mais le sol était mouillé et c'est un baluchon humide que Max récupéra dans les herbes hautes avant de s'enfoncer dans le noir.

Il aurait préféré prendre tout de suite la route,

mais il comprit aux éclats de voix, aux cris et aux puissants rires de gorge qui lui provenaient en écho de l'unique rue du village que les fêtards s'y attardaient encore.

Il décrivit donc à travers les champs une longue courbe qui l'amena tout au bout de Privilège, là où la route enjambe la Sonatine, loin de la grande place.

Voilà, c'était fait, consommé, accompli. Il s'en allait. Le village derrière lui, c'était déjà ailleurs; et devant, dans la nuit noire qu'éclairait mesquinement une lune timide à travers les nuages pressés d'aller porter sur d'autres territoires leur fine pluie froide, c'était nulle part ou partout.

Un bruit de cailloux qu'on écrase attira son attention, un gémissement de bois tordu. Il se blottit contre une des piles du pont. Le tablier trembla sous le pas des chevaux; du sable fin coula entre les planches disjointes.

C'était le cirque qui s'en retournait déjà comme il était venu, de nuit, presque en cachette.

Max attendit longtemps que le craquement des timons décrût et lorsqu'il entendit de nouveau le coassement paisible des grenouilles, il gravit le talus pour émerger sur la route. Au loin devant lui les fanaux des roulottes progressaient lentement le long de la pente du cratère.

Max sourit. Voilà que ceux-là mêmes qui l'avaient poussé à partir lui indiquaient à présent le chemin de sa fuite.

Il régla son pas sur l'allure de ses guides, soucieux de maintenir la distance qui les séparait.

Au bout d'une heure de marche, le dernier

lumignon disparut au sommet de la pente, signe que la caravane avait franchi la bouche du cratère.

Max ne s'était jamais aventuré au-delà de cette bordure de pierres qui avait toujours constitué la frontière de son monde. Tout ce qu'il en savait, c'est que la route se prolongeait à travers un large plateau aride avant de replonger dans un pays qu'on disait vallonneux. Plus loin, le mystère.

La dernière partie de la montée était plus abrupte. Les cailloux roulaient sous les pas et l'eau de pluie avait creusé dans le chemin de profondes rigoles qui entravaient la marche.

Essoufflé, Max parvint enfin au sommet de la pente. Droit devant lui, à quelques centaines de mètres, il aperçut le rougeoiement anémique d'un feu. Le cirque s'était arrêté. Il n'irait donc pas plus loin lui non plus.

Il se retourna pour voir une dernière fois Privilège-sur-Sonatine.

Il devinait à peine la bourgade serrée à flanc de talus, chichement éclairée par un réverbère à l'ancienne qui dispensait sa maigre lumière comme une veilleuse dans une chambre d'enfant. Un rayon de lune se mirait dans le lacet de la Sonatine, qui avait l'air immobile. Privilège dormait et Max, l'étranger, le regardait faire.

Il s'étonnait de ne rien ressentir: ni peine, ni regret, ni douleur, ni chagrin. Il essaya d'évoquer une image qui l'eût fait vibrer: la figure de sa mère préparant le repas, celle de son père en train de dresser des vailloches dans le champ ou celle de son grand-père assis dans sa berceuse, la tête sur la poitrine, grommelant dans son sommeil; il revit les baignades qu'il avait faites dans un endroit secret où on plongeait des branches d'un chêne qui étendait sa ramure au-dessus de la Sonatine et où, un jour, il avait perdu pied, manquant de s'assommer; il se rappela ses expéditions dans le bois à la recherche de nids d'oiseaux ou de couleuvres qu'on allait ensuite cacher dans le lit d'une Juliette ou d'une Marie pour le seul plaisir de les entendre hurler le soir venu. Mais aucun de ces souvenirs ne lui procurait plus de joie. Il avait quitté Privilège-sur-Sonatine et, à son tour, le village l'abandonnait. Cela s'effritait comme une aile de papillon mort.

— J'ai passé ma vie au fond d'une marmite, se dit-il froidement, en manière de constatation.

Il se sentait soudain très las, moulu, comme lorsqu'il déposait sur le plancher de l'appentis le dernier des lourds sacs de farine qu'on ramenait du moulin.

Il avisa tout près la silhouette d'un arbre et s'étendit à ses pieds, son baluchon en guise d'oreiller.

L'arbre fut touché de cette marque de confiance et y répondit avec sollicitude en resserrant imperceptiblement ses racines noueuses autour de Max.

À travers la dentelle des branches, Max contempla un moment les étoiles qui paraissaient bouger à cause du mouvement des feuilles; puis il se dressa sur ses coudes afin de jeter un dernier coup d'œil au fond de la cuvette dans laquelle dormait cette seule portion du monde qu'il eût jamais connue.

Enfin il ferma les yeux, persuadé que par ce geste, il effaçait Privilège-sur-Sonatine de la surface de la terre.

— Que fait-on à présent? demanda l'ange à Dieu.

— Les hommes se reposent, on pourrait en faire autant, répondit-Il. La journée a été rude et J'éprouve un début de courbature. L'éternité me pèse, Je crois.

L'ange s'inclina et de sa voix forcément angélique entonna un Te Deum qui rappelait une berceuse.

Max tombe.

Lentement, comme la dernière feuille attardée de novembre se détache à regret de sa branche pour rejoindre ses semblables qui pourrissent sur le sol. Une chute lente, zigzagante. Mais en même temps, effrayante. Il serre les dents.

Pourtant il n'a pas peur. Il sait qu'il tombe. Il le constate comme un fait. La sensation de chute n'est pas désagréable en elle-même. Elle serait même douce s'il avait la certitude absolue de ne pas se blesser à l'atterrissage.

Autour de lui, c'est la grande noirceur. Sur le dos, bras et jambes formant un X mollement balancé dans le vide, il tombe et pourtant, il se voit tomber de face, à l'extérieur et au-dessus de lui-même, à la fois acteur et spectateur de son propre drame.

C'est faux de dire qu'il n'a pas peur. Comment expliquer autrement sa mâchoire crispée, ses poings serrés, la sueur qui commence à perler sur son visage? Mais est-ce bien de la peur? Non. Plutôt un mélange d'appréhension et de bien-être, une sorte de calme tendu comme celui qui habite les héros qui vont mourir pour une cause.

Au loin, une forme se dessine. Vague, elle se précise peu à peu à mesure que la chute de Max progresse. C'est d'abord un point qui grossit, qui grossit pour devenir une sphère.

Max reconnaît la terre bien qu'il ne l'ait jamais vue ainsi, de l'espace.

Il tombe donc vers la terre. Cela le rassure un peu, mais en même temps, il ne peut s'empêcher d'imaginer l'impact. Qu'il tombe dans l'eau, dans le désert ou dans la forêt, le résultat sera le même: il sera irrémédiablement réduit en bouillie. Il s'enfoncera dans le sol, s'y amalgamera avec les pierres, les herbes, peut-être même les fleurs.

Il prend de la vitesse, du moins c'est ce qu'il comprend parce que la terre approche maintenant comme un ballon lancé vers lui. Il distingue le relief de la planète, les crêtes des montagnes, la verdure des plateaux pommelés de nuages.

Les muscles de sa face se contractent encore plus. Un craquement. Puis un autre. Il a serré trop fort. Ses dents se déchaussent et éclatent une à une. Le goût saumâtre du sang remplit sa bouche. Curieusement, il n'éprouve aucune douleur. Rien qu'une immense désolation à l'idée de perdre ses dents dont il commence à cracher les éclats. Sa langue se promène sur ses gencives pour déloger les chicots branlants.

Il ne voit plus qu'un paysage sauvage, désolé, au-dessus duquel plane un unique nuage circulaire. C'est vers lui que l'entraîne sa chute. Le voilà qui s'approche. Et voilà Max dedans. Le monde tout entier devient humidité laiteuse, puis tout s'obscurcit à nouveau.

Max tombe maintenant à l'intérieur d'un cylindre aux parois lisses. Une tour? Non, le cylindre est beaucoup trop large. Une bouche de volcan plutôt, ou un cratère. Tout au fond, comme un morceau de ruban égaré au milieu de papiers d'emballage froissés, scintille ce qui pourrait être une rivière.

Max éprouve soudain les serres de l'angoisse. Il voudrait crier, mais le sang qui remplit sa bouche l'en empêche.

Il arque son corps juste avant l'impact. Il touche le sol. Et voilà que la terre spongieuse l'absorbe et le fait rebondir. Cela est étrangement moelleux, presque voluptueux, cela dissout sa peur. Max sourit malgré sa bouche en sang et un oiseau siffle à ses oreilles.

Il ouvre les yeux. Timidement. Entre ses cils, il voit l'oiseau perché sur une branche juste au-dessus de sa tête. C'est une hirondelle qui stridule son bonheur de vivre.

— J'ai fait un rêve, songe-t-il.

Pourtant le goût du sang subsiste.

— Mes dents!

Il n'ose pas explorer l'intérieur de sa bouche de crainte que sa langue n'y trouve que débris d'ivoire et d'émail. Pas de douleur. Pas de panique. Seulement un grand deuil.

— Mes dents!

Le ciel a pris des couleurs de semaine sainte. Ce n'est plus la nuit, mais pas encore le jour.

Il faut faire l'inventaire des sens.

Il voit. Un arbre. Sa masse sombre se détache en

lignes noires torturées contre le camaïeu violet du ciel. Il entend. Les habitants de l'arbre s'agitent, invisibles, tout autour de lui. Il sent. Les gouttes de rosée sur sa peau, le vent frais sur son front humide de sueur. Il hume. Les odeurs de terre et d'humus qui montent dans l'air.

Il faut courir le risque. Avec précaution, il promène sa langue dans sa bouche. Il retient son souffle.

— Mes dents!

Elles sont toutes là, bien droites, solidement enchâssées dans les gencives. Inébranlables. Il claque les mâchoires, une fois, deux fois, trois fois, avec chaque fois une plus grande force.

Max soupire et étire ses bras, rasséréné.

— Mais où suis-je? dit-il à voix haute.

— Ici, dans mes bras, fait une voix feutrée qui ressemble à un souffle.

Max se dressa sur les coudes et regarda autour de lui. Il ne voyait pas grand-chose parce le jour n'était pas tout à fait levé. Il se dit que son rêve se prolongeait et décida de jouer le jeu. Il rêverait qu'il se réveillait.

— Reste encore un peu, fait la voix, c'est tellement bon de tenir un humain dans ses bras.

Cela sonnait comme une supplique. En même temps, Max sentit un mouvement autour de ses hanches, comme si les racines de l'arbre le serraient d'un peu plus près.

— Qui parle? C'est toi, l'arbre?

Puisqu'il s'agissait de toutes manières d'un rêve, Max ne voyait rien d'incongru à s'adresser à un arbre.

— C'est moi. Si tu savais comme je suis heureux en ce moment.

Les branches basses de l'arbre s'agitèrent et les mots bruirent le long de son écorce.

— Tu es vivant, Max, poursuivit l'arbre. Et ta vie n'est pas un songe. Dans quelques instants, le soleil se montrera le bout du nez derrière l'ondulation de la colline là-bas. Je pense que nous aurons une belle journée.

— Comment connais-tu mon nom?

— Je sais des tas de choses, Max. Je suis très vieux. Je t'ai vu naître, comme j'ai vu naître tes parents et leurs parents avant eux. Tu viens de Privilège-sur-Sonatine.

Max jeta un œil du côté du cratère. Il n'y avait rien à voir sinon une épaisse couche de nuages qui flottait au-dessus de l'ouverture, oblitérant le fond de la vallée; la marmite était close. Une cascade de souvenirs lui rappelèrent la veille: le cirque, son dégoût, sa colère, son départ, la montée dans la nuit à bonne distance de la caravane.

Il était à présent tout à fait réveillé. Le soleil se montrait à l'horizon et colorait de rose les voiles qui estompaient le relief avant de les dissiper pour lui rendre sa réalité.

— Je me rappelle maintenant, dit Max. Je me suis couché à tes pieds au milieu de la nuit.

— Et tu m'as fait tellement plaisir, souffla l'arbre.

Les racines étreignirent tendrement Max et quelques feuilles lui effleurèrent le front. Le contact n'était pas désagréable, mais Max, qui n'avait pas l'habitude de ces marques d'affection, n'était pas à son aise.

— Laisse-moi me lever, j'ai besoin de m'étirer les muscles.

— Tu ne vas pas t'en aller, Max? dit l'arbre.

Il y avait presque de la détresse dans son ton. Mais les racines s'écartèrent. Max put se lever et effectua quelques flexions du tronc pour chasser l'ankylose.

— Non, je ne pars pas. Enfin, pas tout de suite.

Il fit quelques pas sur le sol moussu.

— J'ai un destin à accomplir, poursuivit-il tout en scrutant en vain l'horizon à la recherche des roulottes de la caravane du cirque.

— Nous avons tous le nôtre, murmura l'arbre. Le mien, c'est de servir d'asile à mille créatures. J'aimerais tellement te compter parmi mes hôtes. Il nous manque un homme.

Max regarda l'arbre. Il était parmi les plus gros qu'il eût jamais vus. Son tronc massif, à l'écorce traversée de crevasses si profondes qu'il aurait pu s'y glisser tout entier, se divisait en deux énormes branches maîtresses qui, à leur tour, supportaient une épaisse frondaison dont le faîte effilochait les nuées de passage.

— Pourquoi faire? dit Max. Un homme, je veux dire?

L'arbre soupira.

— Pour compléter la famille.

— Famille! Quelle famille?

— La mienne. La nôtre. Celle des créatures dont je suis l'univers. Regarde et écoute.

Max s'approcha. Vue de plus près, l'écorce de l'arbre grouillait d'animation; à sa surface, des myriades de fourmis allaient et venaient en tous sens, plongeaient dans des ravins, escaladaient des montagnes, transportaient dans leurs mandibules des brindilles, des parcelles de feuilles et même des œufs. Plus haut, Max vit un couple d'écureuils noirs qui se pourchassaient le long du tronc comme s'il s'agissait d'une piste de course. Plus haut encore, bien assis dans les fourches ou suspendus par des fils à des branches souples, des nids de brindilles laissaient apparaître les têtes déplumées d'oisillons que leurs parents s'épuisaient à calmer en les gavant de vers. Sur une branche plus grosse, une masse sombre avançait paresseusement. Sans doute un porc-épic.

— Tu me parais bien habité, dit Max.

— Et encore tu ne vois pas tout. Je ne sais plus combien de taupes, de souriceaux, de musaraignes et de scarabées ont élu domicile entre mes racines. Et si tu pouvais t'élever jusqu'à mon sommet, tu verrais de grands oiseaux rapaces qui vivent en équilibre sur mes dernières branches. Je ne suis pas un arbre, je suis une planète. Il ne nous manque qu'un homme. Tu veux bien rester?

Max réfléchit. Il n'avait pas abandonné son village pour s'installer à quelques pas plus loin, dans un arbre. La voyante avait parlé de voyage, pas de promenade. Mais il ne voulait pas froisser l'arbre, qui paraissait bien sensible.

— Ma destinée m'appelle ailleurs, dit-il en renonçant à chercher de faux prétextes pour justifier sa décision. Et puis, je serais encombrant.

Le vent siffla dans les branches. Cela ressemblait à un sanglot long.

— Si tu le dis, murmura l'arbre.

— Je t'ai fait de la peine? dit Max.

— Un peu. Quand on veut donner quelque chose et que l'autre décline, on ressent toujours une sorte de pincement. Mais cela dure si peu qu'on ose à peine parler de douleur. Il suffit de secouer ses branches — ou sa chevelure — pour que cela se dissipe dans l'air. Fais comme bon te semble, Max. Je te remercie quand même d'avoir passé la nuit à mes pieds. Cela m'a fait chaud au cœur. Ma sève conservera le souvenir de ton odeur.

Max rougit.

Il prit son baluchon et se mit à en tripoter le tissu pour se donner une contenance. Une question lui brûlait les lèvres.

— Puisque tu as vécu tant de temps, est-ce que tu connais le sens de la vie? demanda-t-il après un long moment de silence.

— Il a au moins de la suite dans les idées, dit Dieu avec une satisfaction évidente.

L'arbre frissonna, ce qui provoqua le vol courroucé d'une demi-douzaine de mésanges.

— Le sens de la vie, c'est donc cela que tu cherches. Comme je voudrais t'aider, mais hélas! je ne le puis. La vie d'un petit garçon et celle d'un vieil arbre n'ont très certainement pas le même sens.

— C'est vrai, fit Max avec une pointe de déception.

— Laisse-moi te faire un cadeau, dit l'arbre navré.

Il secoua une de ses branches et des fruits bleus, de la taille d'une grosse pomme, tombèrent sur le sol.

— Prends au moins cela, c'est très bon. C'est plein de vitamines. Et quand tu en mangeras, tu penseras un peu à moi.

— Merci, dit Max.

— Je te souhaite une belle vie, dit l'arbre.

Max ramassa les fruits, les fourra dans son baluchon, caressa le tronc de l'arbre, qui froufrouta d'aise, et s'éloigna lentement. La route devant lui serpentait à travers un terrain parsemé de gros rochers aux formes et aux couleurs insolites.

Ayant fait une centaine de pas, il se retourna pour lancer un ultime regard à l'arbre, qui agita ses feuilles dans un frémissement d'adieu. D'où il se tenait, Max ne voyait plus du tout la bouche du cratère. Seule une vapeur ténue qui paraissait monter du sol indiquait son emplacement.

Max soupira. Désormais, Privilège-sur-Sonatine n'existerait plus que dans sa mémoire.

Dieu s'éleva au-dessus de l'arbre et siffla pour attirer l'attention de l'ange, que les manœuvres belliqueuses d'un régiment de fourmis rouges absorbaient complètement.

— Que votre volonté soit faite, dit-il en manière d'excuse.

Dieu haussa les épaules et les deux s'envolèrent dans le ciel pour mieux suivre, du haut des airs, les traces de Max.

La route était dure. Beaucoup plus dure que Max ne l'avait imaginé. Plus longue aussi.

Quelle distance avait-il franchi depuis ses adieux à l'arbre? Dix, vingt, cent kilomètres? Comment dire au milieu de ce décor qui n'offrait pour tout repère que la course du soleil dans le ciel?

De loin, vu du pied de l'arbre, le pays lui avait paru une plaine étale avec de-ci de-là de gros rochers torturés autour desquels s'enroulait la ligne plus sombre de la route. Mais loin d'être plat, le terrain se révélait, une fois qu'on s'y était engagé, une succession de creux et de bosses parsemés de nids-de-poule et de cailloux qui bloquaient l'horizon et interdisaient au promeneur une marche cadencée. Qu'une caravane composée de trois charrettes ait pu passer par là sans casser une roue tenait du miracle.

Le premier matin, Max avait éprouvé l'enthousiasme des grands départs, l'émerveillement qui accompagne la découverte d'un territoire neuf, si inhospitalier fût-il.

Mais déjà, au bout du deuxième jour, la fascination des premières heures pour les monolithes aux formes improbables l'avait cédé à l'indifférence, puis à la lassitude et enfin à l'écœurement. L'espoir de trouver au-delà de chaque butte une sorte de terre promise le cédait maintenant à la hantise chaque fois confirmée de n'y rien découvrir qu'une variation sur ce qu'il laissait derrière: d'autres creux, d'autres bosses, d'autres rochers plus ou moins tordus, plus ou moins rouges; une végétation rare et sans intérêt: des plantes à piquants, des lichens d'une sécheresse désespérante.

Max regrettait l'arbre. Que n'avait-il cédé aux suppliques de ce dernier! À cette heure, il se reposerait dans son ombre, protégé par les ramures épaisses de ce soleil implacable qui mettait tout son temps pour passer d'un horizon à l'autre.

À mesure que sa fatigue augmentait, à mesure que ses yeux cessaient de voir ce paysage sans cesse renouvelé et pourtant toujours égal à lui-même, Max sentait monter en lui un doute qui prenait la forme d'une nostalgie de sa vie antérieure.

Dans son souvenir, Privilège-sur-Sonatine se parait d'attributs insoupçonnés pour devenir un paradis terrestre. Chaque tournant du chemin lui rappelait les méandres de la Sonatine dans laquelle il aurait pu se plonger pour se rafraîchir, chaque regard porté vers le soleil au milieu d'un ciel sans nuages le renvoyait aux moutons qui filtraient en permanence ses rayons au-dessus du village, chaque pierre du chemin évoquait la douceur de courir pieds nus dans les herbes de la vallée et chaque fruit qu'il puisait dans son sac pour tromper sa faim le ramenait, en dépit de son goût exquis, à la table familiale devant une soupière fumante ou un ragoût fleurant les herbes.

Qu'était-il donc venu chercher dans cette contrée hostile, après tout? Le sens de la vie? De quelle vie? Les seuls signes de vie qu'il avait perçus, hormis le vol circulaire de quelque patient rapace loin au-dessus de sa tête, étaient les battements de son cœur dans ses tempes douloureuses et la sueur qui coulait en rigoles le long de son dos. Il n'avait pas besoin de venir si loin pour connaître cette vie-là.

Au milieu du cinquième ou du sixième jour, étourdi de chaleur, la poitrine gonflée d'une colère impuissante, Max se laissa tomber près d'une grosse pierre. Il fouilla dans son sac. Il n'y restait plus qu'un seul fruit bleu.

Il le contempla longuement sans pouvoir se résoudre à y mordre. C'était une chair douce-amère qui mariait à la texture d'une pomme le goût douceâtre de la poire et le piquant des agrumes. Peut-être ferait-il mieux d'attendre avant de l'entamer. Après tout, c'était le dernier, et Dieu seul savait quand il trouverait quelque chose à se mettre sous la dent.

Dieu était justement assis au sommet d'un rocher. L'ange se tenait immobile, suspendu dans l'air près de lui. Comme un écolier pris en faute, il tortillait un coin de sa robe vaporeuse.

— Toi, tu as quelque chose à Me dire, dit Dieu.

— C'est que....

L'ange hésitait, semblait chercher ses mots.

— Allez, dit Dieu, un peu impatienté par son

manège. Tu connais Mon infinie bienveillance. Je puis tout entendre. Vas-y, parle!

L'ange avala sa salive.

— C'est que je souhaite ne pas m'attirer un de vos regards foudroyants. Je ne le supporterais pas.

Dieu inspira profondément.

— Je m'engage à ne foudroyer personne. Dis ce qui te tarabuste.

— Ne pourrions-nous pas, balbutia l'ange en évitant cet œil qui jadis avait tant troublé Caïn, lui donner... quelque chose comme un coup de pouce. Un tout petit. Une chiquenaude, pour ainsi dire.

La face de Dieu s'assombrit pendant que l'ange rentrait la tête dans ses épaules, anticipant le divin coup de gueule.

— Vous êtes bien tous pareils, vous autres les anges, dit Dieu après un instant de réflexion. Je me demande d'où vous vient cette compassion maladive. S'il n'en tenait qu'à vous, Je passerais mon temps à faire des miracles.

— Pourtant, reprit l'ange que le ton placide de Dieu avait enhardi, il fut un temps où Vous ne Vous faisiez pas prier. Songez à Moïse. La manne.

— J'étais jeune à l'époque. J'ai compris depuis qu'à faire pleuvoir des grenouilles et à ressusciter les morts, on finit par créer des attentes. Les hommes ne comptent plus que sur Vous et ne veulent plus rien faire par eux-mêmes. Désolé, mon bon, mais le temps des miracles, c'est du passé. Et puis, Max n'est pas sans ressources. Crois et espère, ange de peu de foi!

L'ange courba la tête en signe de soumission.

Max caressait la pelure de son dernier repas,

songeur. Quoi qu'il fît, il avait le sentiment d'être coincé. Il était hors de question de revenir sur ses pas. Il ne survivrait pas sans nourriture aux cinq ou six jours de marche qui le séparaient de l'arbre. Sans compter qu'il n'était pas du tout certain de retrouver sa route dans ce pays hostile. En revanche, il ignorait combien de temps durerait le voyage s'il allait de l'avant.

Pour la centième fois, il contempla sa paume. Qu'est-ce que Mme Hermanina avait bien pu lire dans ce réseau de lignes qui s'y entrelaçaient comme les craquelures d'un sol altéré de pluie? En ouvrant et en fermant légèrement sa main, Max observa qu'il pouvait y faire naître à volonté des monts et des vallées avec, au fond, des fleuves boueux.

Il serra le poing. Pavoni, Hermanina. Race maudite qui se moquait du monde avec ses jeux cruels. C'était à cause d'eux s'il se trouvait maintenant en route vers nulle part, sans ressources, sous un soleil de plomb. N'eût été ce cirque stupide...

Mais non. Il n'y avait pas de responsable.

C'est parce qu'il était différent des autres qu'il était là.

Mais pourquoi? Pourquoi n'était-il pas comme ses camarades? Pourquoi n'avait-il pas, comme tout le monde, pris de plaisir au spectacle? D'où lui venait donc cette révolte, cette colère qui avaient provoqué son départ. La vie à Privilège-sur-Sonatine était-elle donc tellement insupportable? Jamais personne ne lui avait fait de reproche. On le laissait vivre à sa guise, rêver ses rêves et méditer tout son soûl. Qu'on éludât ses questions n'avait, somme

toute, pas grande importance. On le tenait pour une
rareté. Et quoi encore! On disait bien de La Linotte
qu'il était bizarre, cela n'avait jamais empêché le
garde-biques de vivre sa vie.

Sa liberté nouvelle n'était-elle pas devenue une
prison? N'avait-il pas troqué une cage contre une
autre? D'étranger il était devenu intrus. Ici, la terre,
le ciel, le soleil, les rochers, jusqu'aux plus maigres
des plantes, s'étaient ligués contre lui pour le
chasser ou bien pour le détruire.

Un gros sanglot qui gonflait sa poitrine parvint à
se frayer un chemin jusqu'à sa gorge et les yeux de
Max s'embuèrent. Cela faisait longtemps qu'il le
retenait celui-là. Il en ressentit un soulagement
presque instantané, comme si les larmes entraî-
naient avec elles une partie de son désarroi. Le soleil ne s'en trouvait pas moins brûlant ni la terre,
moins sèche, mais lui se sentait plus léger.

— Pleure donc, petit, dit Dieu pour lui-même.
Parfois Je vous envie, vous autres, de pouvoir pleurer. Les larmes, c'est encore ce que J'ai fait de
mieux. Qu'en penses-tu, l'ange?

— Puisque Vous le dites, répondit fraîchement
l'ange, qui n'avait pas encore digéré que Dieu lui
reprochât son manque de foi.

— Mais ma parole, tu boudes? dit Dieu en réprimant difficilement un sourire.

L'ange fit celui qui n'avait pas entendu et demeura coi.

Max se sentait maintenant vidé de toute énergie.
Il n'avait qu'une envie: dormir. À son réveil, il senti-
rait l'odeur du chocolat et du pain grillé monter de
la cuisine. Torticolis serait là, égal à lui-même,

courant sur les parois de verre du vivarium. Et le
père lancerait depuis la cuisine: «Debout, paresseux,
le soleil est levé depuis longtemps.»

Dormir.

Ses paupières lourdes se refermaient toutes
seules. Ses muscles endoloris se relâchaient. Ses
poings se desserraient. Le sommeil.

Alors, un hurlement sauvage le fit bondir sur ses
pieds. C'était un cri bestial, entre le jappement et le
grondement, une sorte de «ouô» ou de «whoa» im-
pératif qui aurait stoppé net un étalon en pleine
course. Suivit le sifflement d'une chute et Max
aperçut en un éclair quelque chose qui tombait du
ciel, à quelques pas de lui.

L'ange fit un saut de côté.

— Tiens, mécréant, voilà peut-être la solution à
tes problèmes, lança Dieu, non sans ironie.

Et il souffla légèrement dans la chevelure de
l'ange, qui se sentit tout remué.

L'homme avait surgi de derrière le rocher comme une souris sauteuse. Il avait les jambes arquées, le dos voûté, une tête hirsute et l'air ahuri de celui qui se reconnaît pour la première fois dans une glace.

Il demeura quelques instants figé puis, ayant compris sans doute que Max ne constituait pas une menace, ses traits se détendirent et une grimace qui se voulait un sourire plissa son visage mangé par une barbe d'un gris jaunâtre.

De son côté, Max était pétrifié. On a beau s'ennuyer à mourir et souhaiter de la compagnie, quand celle-ci tombe du ciel sans crier gare, on s'émeut.

Le bonhomme riait franchement à présent et ses yeux était devenus de petites sphères brillantes au milieu d'un tissu compliqué de rides et de pattes d'oie.

— Je pense qu'on s'est fait peur, dit-il. Rassure-toi, je ne suis pas dangereux.

Puis il entreprit de chercher quelque chose au sol.

— Mais où a donc atterri ce fichu bestiau!

Max prit une grande respiration pour reprendre

la maîtrise de son corps encore tout tremblant de surprise. Il constata que l'homme tanguait singulièrement sur ses jambes trop courtes.

— Qui... qui êtes-vous? demanda-t-il, lorsqu'il eut retrouvé son souffle.

— Je m'appelle Godefroy, répondit le vieux, qui reniflait tout autour des rochers comme un chien autour d'un trou de marmotte. Mais où a-t-il bien pu tomber, c't'animal! Tu ne l'aurais pas vu, toi?

— Vu quoi, moi?

L'homme se redressa et planta son regard dans celui de Max, qui en éprouva tout à coup une grande gêne.

— Le brochemplume que je viens d'abattre, voyons!

Le sourire se dissipa aussi subitement qu'il était apparu. Les yeux étaient devenus perçants et inquisiteurs. Obéissant à un réflexe, Max recula pendant que le bonhomme faisait mine d'avancer sur lui.

— Tu ne me l'aurais pas piqué par hasard? Hein?

Max voulut protester. Dans son village, les enfants étaient souvent présumés coupables de tout, simplement à cause de leur âge.

Mais le vieux enchaîna sans lui donner le temps d'ouvrir la bouche:

— Tu n'as pourtant pas une tête à jouer ce genre de sale tour.

La lueur de menace que Max avait cru déceler dans son regard s'était brusquement éteinte, immédiatement remplacée par un voile gris de tristesse.

— Mais on ne sait jamais, poursuivit l'homme pour lui-même. Les visages les plus doux cachent parfois de si grandes perversions qu'on ne saurait être trop prudent.

Et sans désemparer, il poursuivit sa recherche autour des rochers, prenant appui sur ces derniers afin de compenser son équilibre instable, se dandinant comiquement sur ses jambes qu'on aurait cru montées sur des ressorts.

Au bout de quelques secondes, Max entendit un «Ahhh» de satisfaction et le personnage reparut, tenant dans ses mains une tige d'environ un mètre dont la partie renflée du milieu paraissait couverte de plumes grises et bleues. Il se laissa tomber par terre, visiblement soulagé.

— Qu'est-ce que c'est? demanda Max.

— Ça, mon petit, c'est la bénédiction de ceux qui voyagent léger, la sauvegarde du pèlerin, la bouée du naufragé, le meilleur ami du vagabond. Autrement dit: le brochemplume. Et toi, qui es-tu?

Max entendait vider la question avant de passer à un autre sujet.

— C'est quoi, un broche-en-chose?

— Brochemplume, petit. Broche comme dans bijou et plume comme dans oiseau. Les brochemplumes sont des volatiles extraordinaires et comestibles. Tous les voyageurs savent ça. C'est dans leur intérêt, parce que les comestibles sont plutôt rares dans un endroit comme ici. Qu'est-ce que tu manges donc dans la vie, toi?

Max ramassa le fruit bleu qui avait roulé par terre et le tendit à Godefroy.

— Ça. Et c'est mon dernier.

L'homme fit une moue sceptique tout en commençant à plumer soigneusement sa capture.

— Ça ne vaut sûrement pas le brochemplume.
D'abord parce que ces fruits-là, il faut les traîner
avec soi. C'est encombrant, c'est lourd, ça prend
toute la place et puis, je suppose qu'on n'en trouve
pas partout. Alors que les brochemplumes....

— Moi, je n'en ai jamais vu, dit Max.

— Évidemment, ils sont pratiquement invisibles.
Ils volent au-dessus de nos têtes sans émettre le
moindre son et leur ventre prend très exactement
la couleur du ciel si bien que, d'en dessous, on ne
peut pas les voir. Ce sont, pour ainsi dire, les camé-
léons de l'air.

— Mais... si on ne les voit pas...

— Comment les chasse-t-on? compléta Godefroy
sans interrompre l'opération dépouillement. C'est
d'une simplicité confondante. Vois-tu, le brochemplume est hypersensible au bruit. De plus, c'est le roi
des poltrons et il a le cœur faible. Ce n'est pas pour
rien qu'il prend tous les moyens pour se dissimuler.
Alors donc, il suffit de lui causer une grande frousse
pour le faire passer sans transition de vie à trépas.

L'homme éclata soudain d'un rire sonore mais
bref qui sonna douloureusement aux oreilles de
Max et le fit sursauter.

— J'allais dire de vie à repas, tu saisis? Trépas,
repas.

Max n'éprouvait aucune envie de rire, mais il
s'efforça de sourire pour demeurer poli. L'autre
poursuivit:

— Moi, j'utilise le cri brownien. C'est encore le
meilleur moyen de l'abattre.

— Le quoi?

Godefroy rigolait dans sa barbe.

— Le cri brownien. C'est une exclamation puissante inventée par un dénommé Brown, James Brown, un musicien que j'ai connu dans le temps. C'est foudroyant. Supposons que tu te promènes dans la nature et que tu sentes comme un creux. Qu'à cela ne tienne! Tu prends une grande inspiration et tu lances le cri brownien de toutes tes forces. Regarde.

Godefroy se remit sur pied, se redressa au point que ses jambes devinrent presque droites, bomba le torse en aspirant une large goulée d'air et, dans un mouvement saccadé de la tête qui ressemblait à une convulsion, il hurla: «Whooooa!»

Max sentit un frisson lui parcourir le creux du dos.

Quelque chose siffla à côté de Dieu et l'ange fit un bond de côté pendant qu'un objet traversait sa personne immatérielle.

— Je ne m'habituerai jamais à n'avoir pas de substance, dit-il en remettant de l'ordre dans sa tunique.

— C'est parfois bien embêtant, J'en conviens, répondit Dieu en riant. Mais on ne peut pas tout avoir.

Une fraction de seconde plus tard, deux objets semblables à celui que tenait Godefroy dans sa main chutèrent au sol en soulevant des petits nuages de poussière rouge.

Godefroy éclata encore de son rire bref.

— Et voilà le travail, dit-il, non sans fierté. La beauté avec ces volatiles, c'est qu'ils nous tombent dans le bec pratiquement prêts à bouffer. Leur mort est tellement subite que leur long cou et leurs pattes deviennent rigides comme des tiges d'acier. Il suffit de faire un feu, de placer la bête au-dessus et de la tourner comme si elle était embrochée. Vingt minutes plus tard, tu disposes d'un repas aussi nourrissant que succulent. On peut aussi les manger crus, en salade ou à la croque au sel. C'est génial, je te dis.

— On ne les vide pas? demanda Max avec une pointe de dégoût.

— Les vider! Petit malheureux! Les brochemplumes, c'est comme les homards: le meilleur est en dedans. On mange tout, et on se cure les dents avec ce qui reste des plumes. Sans parler des autres avantages... Allez, ramasse un peu de bois, je vais te nous préparer un festin dont tu me donneras des nouvelles!

Max n'avait jamais entendu parler de homards. Il aurait bien voulu connaître aussi ces *autres avantages* à quoi Godefroy venait de faire allusion, mais, pour une fois, il se retint de poser de nouvelles questions, son ventre ayant eu raison de son appétit de connaissance.

Au bout de quelques minutes, une odeur de friture chatouilla les narines de Max et lui fit venir l'eau à la bouche. La graisse des oiseaux commençait à fondre et coulait goutte à goutte sur les braises où elle explosait en petites flammes orangées.

Lorsque les trois oiseaux furent cuits, Godefroy en tendit un à Max.

— Prends, ça se mange comme un épi de maïs. Tu tiens les pattes dans une main, le cou dans l'autre et tu mords dans le milieu en tournant d'un quart de tour après chaque bouchée.

Godefroy fit une démonstration et Max l'imita, du bout des lèvres d'abord, puis, enhardi, il mordit avec fougue dans la peau croustillante qui craqua sous ses dents. Il lui sembla, dès la première bouchée, que ses papilles gustatives renaissaient au contact de cette chair fine dont les jus remplissaient sa bouche et coulaient à la commissure de ses lèvres. En même temps, un bien-être nouveau se répandit dans ses muscles comme le frémissement de vaguelettes sur le calme d'un étang. Il avait le sentiment de quitter la terre, de léviter au-dessus des galets. Il posa une main au sol pour ne pas tomber à la renverse.

Godefroy le surveillait du coin de l'œil, attentif à ses réactions. Lorsqu'il vit le visage de Max se détendre, il fit entendre encore une fois son curieux rire.

— C'est une attaque d'extase, dit-il. Cela se produit la première fois qu'on déguste un brochem-plume. C'est une sensation qu'on n'oublie pas mais qu'on ne retrouve plus jamais.

Godefroy cessa tout à coup de manger. À travers une sorte de brume, Max le vit devenir rêveur, le regard perdu. Il entendait sa voix lui parvenir, plus grave, comme un écho lointain.

— Qu'est-ce que tu veux, on s'habitue à tout dans la vie. Tout s'use, le goût s'émousse. Si encore on pouvait oublier nos joies anciennes, chaque nouveau bonheur remplacerait le précédent comme une surprise. Hélas, on se rappelle toujours ses premiers bonheurs, ses premières passions. Le temps leur confère un prix qu'on ne leur accordait guère quand ils nous habitaient et leur souvenir ne nous les rend que plus chers, si bien qu'on passe sa vie à vouloir les retrouver.

Max ne pipait mot. Les paroles de Godefroy lui semblaient incompréhensibles et sa nostalgie subite, mystérieuse. En outre il avait faim.

— Tu es bien jeune pour comprendre ces choses-là, dit Godefroy en soupirant. Puis sans transition, il rit de nouveau en faisant le geste de chasser une mouche.

Le rire sonnait faux et Max, en dépit du ravissement dans lequel la chair du brochemplume l'avait plongé, s'en trouvait de plus en plus troublé.

— Et toi, qui es-tu, d'où viens-tu, où vas-tu? demanda Godefroy.

— C'est précisément ce que je cherche, répondit Max, subitement morose. Je cherche le sens de la vie.

De nouveau le rire sans joie traversa Max comme une lame.

— Beau programme! dit Godefroy.

Il y eut un long silence que même l'ange n'osa pas troubler.

Puis Godefroy, maniant la carcasse de son brochemplume comme un pique-feu, remua les tisons qui laissèrent s'échapper quelques ultimes flammèches.

— Le sens de la vie, dit-il d'une voix sourde.

Il avait l'air tout à coup très las. Max constata que ses joues s'étaient avachies, comme si toute énergie avait déserté les muscles de son visage et que les chairs, abandonnées à elles-mêmes, s'affaissaient sous leur propre poids.

— Le sens de la vie! répéta Godefroy en hochant la tête.

Il ramassa quelques pennes de brochemplumes qui jonchaient le sol et entreprit de les pétrir d'une main pendant que de l'autre, il tirait de sa poche une pipe de maïs.

— Le sens de la vie, mon bonhomme, c'est ça!

Il bourra la pipe avec les plumes qu'il avait habilement façonnées en boulette et l'alluma avec un tison qu'il ranima en soufflant dessus. Une odeur âcre d'épices brûlées parvint aux narines de Max, qui la trouva désagréable.

La pipe émit une sorte de gargouillement pendant que Godefroy en aspirait profondément la fumée. Il fit une grimace et ses yeux s'embuèrent de larmes. Il retint son souffle durant de longues secondes puis expira avec force. Il fut immédiatement saisi d'une toux creuse. Max crut un moment qu'il allait vomir ses tripes et lui demanda s'il avait besoin d'aide. Godefroy secoua la tête et lui fit comprendre par un geste que tout allait bien. La quinte passée, il s'adossa contre un rocher. Son visage était couleur de brique et de grosse larmes coulaient le long des crevasses de son visage. Mais il souriait à présent. D'un sourire un peu triste auquel les yeux demeuraient étrangers.

— Il y a un bon Dieu, éructa-t-il d'une voix éraillée.

— Meilleur que tu ne le crois, mon beau, dit Dieu entre ses dents.

— Je ne connais même pas ton nom, dit Godefroy.

— Je m'appelle Max, dit Max.

— Mon vieux Max, nous sommes de la même race, toi et moi, dit Godefroy.

Max plissa le front, comme s'il cherchait à comprendre.

Alors Godefroy, portant les yeux sur lui comme
s'il cherchait à percer son âme, entreprit de raconter
l'histoire de sa vie.

— J'étais premier sangloteur dans la Sensitive, un des plus grands philarmoniphéons du pays, dit Godefroy.

— Sangloteur? s'enquit Max.

— C'est un instrument dont les sons vous propulsent vers des espaces infinis. Imagine la griserie qu'on éprouve à tenir au bout de ses doigts la faculté de changer les états d'âme d'un être, le pouvoir de le faire rire ou pleurer à sa guise. Les bons sangloteurs sont rares parce que cela vous vide un homme aussi sûrement qu'un mal d'amour. Certains m'ont dit qu'ils avaient le sentiment d'atteindre l'absolu lorsque je jouais.

Max aurait bien voulu savoir en quoi consistaient ce mal d'amour et cet absolu à quoi Godefroy accordait une si grande importance, mais ce dernier avait fermé les yeux — sans doute pour mieux se plonger dans ses souvenirs — et avait repris son récit.

Il avait passé la première partie de sa vie à étudier tous les secrets de son instrument et ne caressait d'autre but que de gagner honorablement sa vie avec. Un autre à sa place, plus ambitieux, plus sensible aux attraits de la gloire et des honneurs, eût sans doute aspiré à une reconnaissance universelle. Mais pour Godefroy, seuls comptaient le plaisir de faire de la musique et la joie de mêler les sons de son instrument à ceux de ses voisins en un ensemble fluide.

C'est pourquoi, négligeant l'avis de ses maîtres qui souhaitaient le propulser dans une carrière de soliste, il avait préféré un poste de premier sangloteur au sein d'un philarmoniphéon et désormais, il pouvait espérer mener une existence confortable à moins qu'une malencontreuse arthrose ou quelque rhumatisme vicieux ne viennent en compromettre le cours rectiligne.

Dans les mois qui suivirent son entrée à la Sensitive, il avait rencontré la jeune fille Violaine. Il l'avait remarquée, plusieurs soirs de suite, assise au premier rang du parterre en compagnie d'un vieux couple — ses parents sans doute —, blonde, fragile, avec de grands yeux si pâles qu'ils paraissaient transparents et qu'elle fermait à demi sitôt qu'il touchait son instrument. Dès le troisième soir, il lui avait fait dire par le régisseur qu'il l'attendrait à la sortie des artistes. Peu de temps après, il l'avait épousée et l'année suivante ils avaient eu un fils, qu'ils avaient nommé Sébastien.

Sous la conduite d'un chef habile, la Sensitive avait acquis une notoriété enviable; on ne comptait plus les statuettes, les médailles et les rubans qui témoignaient de ses succès.

Violaine et Godefroy filaient le parfait bonheur, lui tout à sa musique, elle tout à Sébastien qui

grandissait en beauté. L'enfant avait d'ailleurs mani-
festé des dons précoces de musicien, ce qui n'avait
pas manqué de ravir son père.

Mais cette quiétude ne devait pas durer.

Le philarmoniphéon était réputé pour ses créa-
tions. Chaque concert se composait d'au moins
deux pièces inédites, le reste du programme étant
puisé à même un répertoire que le chef avait choisi
avec le temps parmi les œuvres les plus appréciées
du public.

Or voilà que petit à petit, Godefroy avait cru
déceler dans la nature même des pièces que les
compositeurs soumettaient au jury des mutations,
comme s'ils s'étaient concertés pour produire des
œuvres plus sombres, plus lourdes, qui faisaient
appel à une gamme d'émotions plus primitives,
pour ainsi dire. C'étaient parfois les rythmes qui
paraissaient plus heurtés, les phrases qui chantaient
moins, les accords qu'on sentait moins harmonieux,
les orchestrations qui juxtaposaient des combinai-
sons de notes plus dures.

Lorsqu'il recevait une partition pour l'étudier et
l'apprendre, Godefroy n'éprouvait d'habitude aucune
peine à se laisser porter par la musique. Il s'en pénétrait complètement, la laissait s'insinuer en lui pour
qu'elle prît possession de son âme jusqu'à ce qu'il
ressentît toutes les nuances que l'auteur y avait ins-
crites et d'autres que ce dernier n'avait même pas
imaginées. Si bien que le soir de l'exécution, la pièce
lui appartenait comme s'il l'avait lui-même écrite.

Mais voilà que depuis quelque temps, certaines
partitions lui résistaient. Pour des raisons mysté-
rieuses qu'il n'arrivait pas à identifier, il butait sur

un passage, une note ou un accord, comme on achoppe parfois dans un texte sur un mot dont on ignore le sens et qui rend la phrase tout entière inintelligible.

Godefroy était d'autant plus perplexe qu'aucun de ses collègues ne paraissait s'inquiéter de ce que lui tenait pour des vicissitudes. Bien au contraire, il décelait dans leur comportement des attitudes qui trouvaient un écho dans les transformations que subissait leur répertoire. Ils étaient moins affables, plus impatients, allant jusqu'à s'échanger parfois des répliques cinglantes, s'accusant mutuellement de jouer faux ou de ne pas tenir le tempo. Leur jeu même — pour lui qui avait l'oreille éduquée à ce genre de chose — trahissait une agressivité nouvelle. Les répétitions étaient devenues houleuses. Le chef, pourtant réputé pour son flegme et sa tolérance, affichait une moins grande sérénité. Il multipliait les coups de gueule, ce qui n'était pas dans ses habitudes, et plus d'une fois, dans un geste d'exaspération, il avait rompu sa baguette contre son pupitre.

Au bout d'un moment, Godefroy s'en était ouvert à son ami le premier mélancoliste. Ce dernier, un joyeux drille qui passait la plupart de ses nuits à jouer dans les cabarets louches afin de supporter un train de vie d'une rare extravagance, avait répondu «Bof! Et alors?».

Des mois passèrent.

Les nouvelles partitions se succédaient, arides, indigestes, de plus en plus ardues pour Godefroy, qui s'efforçait d'en déchiffrer les signes sans vraiment les comprendre. Il exécutait de manière impeccable tout ce qui y était indiqué, mais ne parvenait plus, comme avant, à retrouver, au-delà des petites boules noires et blanches suspendues à la portée, les vibrations qui font tressaillir l'âme et procurent l'extase.

— J'éprouvais de moins en moins de plaisir à jouer. À quoi bon faire les choses si elles ne nous procurent plus de joie? Pourtant, je travaillais dur, j'étudiais des pages et des pages de partitions. Mais leur signification m'échappait. Chaque jour, je redoutais un peu plus les heures que je devais consacrer aux répétitions. J'étais dérouté. Chaque nouvelle œuvre me décontenançait au point de me faire croire que j'avais perdu mon talent. Plus rien n'avait de sens. La musique avait toujours été mon univers, et voilà que cet univers tournait subitement sur lui-même et basculait dans l'insignifiance. Et la violence. La violence de ces œuvres donnait le frisson. Tout n'était qu'éclatement, cassure, tumulte et tintamarre.

Godefroy s'arrêta un instant de parler. Des gouttelettes de sueur perlaient sur son front et la pipe tremblait dans sa main. Son regard était fixe, entièrement absorbé par le spectacle de ses souvenirs. Max n'osait rien dire. Godefroy reprit enfin.

Il raconta qu'à la demande de certains compositeurs, on avait introduit de nouveaux intruments dans l'orchestre. On avait doublé la section des pétaradeurs qui s'était enrichie — manière de parler — d'appareils étranges qui produisaient des sons infiniment plus puissants que ceux auxquels Godefroy avait été accoutumé.

Il n'était pas rare maintenant qu'il terminât un

concert la tête douloureuse du bruit qu'il avait contribué à créer. Car c'était bien de cela qu'il s'agissait: on ne faisait plus de musique, on ne présentait plus que du son brut, une cacophonie échevelée, un vacarme étourdissant qu'on recevait en pleine poitrine comme des coups de butoir. On s'acharnait sur les instruments pour en tirer des sons contre nature, amplifiés au-delà des limites du supportable.

Si encore le public avait déserté ces démonstrations d'une extraordinaire fureur auditive. Bien au contraire, il en redemandait. Encore et encore. Toujours plus véhément, toujours plus brutal, aux confins de la démence. D'un spectacle à l'autre, les musiciens rivalisaient de trouvailles pour lui plaire. L'un d'entre eux avait été jusqu'à fracasser son instrument à la fin d'un morceau. Cela avait provoqué le délire et, par la suite, le chef — obéissant aux instructions des administrateurs de l'orchestre — avait insisté pour qu'on en détruisît quatre ou cinq à chaque représentation.

Alors que naguère on assistait aux représentations dans un silence recueilli et qu'on manifestait son enthousiasme à la toute fin par des applaudissements nourris, voilà que, durant l'exécution même des nouvelles œuvres, des mouvements se produisaient dans l'auditoire. On se bousculait au parterre et au balcon, on jouait du coude dans les allées, voire même des poings, on applaudissait aux moments les plus incongrus, on hurlait au moindre geste du chef, on sifflait, on vociférait, on criait, on trépignait, et parfois la soirée se terminait dans le chaos le plus complet. La direction de l'orchestre dut mettre sur pied un service d'ordre chargé de maintenir dans la salle un semblant de discipline. Désormais les concerts ne se dérouleraient plus que sous la surveillance de colosses disséminés un peu partout dans l'auditoire et qui avaient pour consigne de calmer les ardeurs des plus enthousiastes à coups de bâtons.

Un jour, durant une performance — on ne parlait plus de concert, encore moins de récital, mais de performance — un des spectateurs qui était parvenu à monter sur la scène eut la tête fracassée par un de ces gardiens. Cela s'était produit juste sous le nez de Godefroy; quelques gouttes de sang avaient même éclaboussé son plastron. Il avait reculé d'horreur, interrompant l'exécution de la pièce, ce qui avait eu pour effet de faire sortir de leurs gonds et le chef et les autres musiciens. Mais la foule, excitée par le sang, avait acclamé le matraqueur, qui en avait profité pour pavoiser sur la scène pendant que des machinistes tiraient le cadavre en coulisse.

— Quelque chose s'est cassé en moi à ce moment. Moi, je voulais créer, inventer, mettre mon talent au service de la vie. Et voilà qu'on exigeait que je participe à une entreprise de destruction. C'était trop, beaucoup trop. Ce soir-là, j'ai quitté la salle en abandonnant mon sangloteur sur mon siège. Je savais que je n'en aurais plus jamais besoin. Je suis rentré chez moi et j'ai jeté au feu toutes mes partitions, les anciennes comme les nouvelles. Je n'en ai conservé aucune. Même pas celles que j'aimais, parce qu'elles me rappelaient trop le musicien que j'avais été et que je ne serais plus jamais. Et je suis parti, tout seul.

Max ne put s'empêcher de revivre en un éclair

sa dernière soirée au cirque. Un goût acide remplit sa bouche. L'image de ses parents lui revint en mémoire.

— Et Violaine? et Sébastien? demanda-t-il doucement.

Godefroy sembla émerger de son rêve. Les larmes qui vacillèrent au bord de ses paupières redonnèrent un peu de vie à ses yeux.

— Violaine?

Sa voix était celle d'un vieillard ou d'un grand malade, minuscule et haut perchée. Puis subitement, il parut se réveiller tout à fait et l'air vibra de son éclat de rire douloureux.

— Ah oui, Violaine! Violaine, la vilaine! Cela faisait déjà un bon moment qu'elle n'était plus là, Violaine. Elle s'est lassée, je crois, de mes états d'âme, de mes angoisses. Elle n'avait pas choisi la musique, elle. Moi, je l'avais chevillée à l'âme, cette musique qui me torturait. J'aime croire qu'elle a préféré partir pour ne plus me voir souffrir. Mais je pense qu'elle avait pris un amant.

Il rit de nouveau et Max crut que ses tympans allaient éclater. Il éprouvait à l'égard de cet homme brisé un inexplicable mélange d'attirance et de répulsion. Il compatissait à son malheur et, dans le même temps, il avait envie de fuir, comme si sa douleur avait été contagieuse.

Godefroy porta la pipe à sa bouche et aspira longuement la fumée. Il ne s'étouffa pas cette fois. Au bout de quelques secondes, ses traits se détendirent et un sourire apparut sur ses lèvres. Mais les yeux ne souriaient pas, comme s'ils eussent appartenu à un autre.

— Tout ça c'est du passé, dit-il, apparemment désinvolte. Des souvenirs, du vent. Et devant, il y a l'avenir, les voyages qui forment la jeunesse, les horizons qui chantent, et youkaïdi et youkaïda. Ah, ah!

Encore ce rire, déchirant, plus meurtrier qu'un stylet.

Puis au bout d'un temps lourd qui parut une éternité:

— Nous sommes de la même race, toi et moi.

— Je sais, dit Max.

Il commençait à faire nuit. Quelques étoiles s'allumaient dans le firmament. Max s'étendit sur le dos pour les regarder apparaître une à une. Godefroy fit de même.

— Toi aussi tu aimes les étoiles. Parfois je me plais à penser qu'elles détiennent toutes les réponses. Il suffirait d'en décrocher une, ou mieux, de faire le voyage jusqu'à elles pour que tout devienne lumineux et qu'on sache enfin.

Dieu regarda au-dessus de sa tête et approuva.

— Gloire soit à Vous... dit l'ange.

— Dans les siècles des siècles... oui, oui, Je sais, compléta Dieu.

Max souriait. Quelle belle idée: aller un jour dans les étoiles, passer d'une à l'autre à sa guise, devenir un oiseau interstellaire, disposer de l'univers tout entier pour territoire.

— Mais nous ne sommes que des hommes, poursuivit Godefroy. Je ferme les yeux parce que le spectacle est tellement plus beau vu de l'intérieur. Bonne nuit, Max.

— Bonne nuit, Monsieur Godefroy.

La voûte céleste s'était tout à fait obscurcie et, à

force de la contempler, Max assistait à la naissance de nouvelles étoiles qu'un regard moins appuyé n'eût pas laissé soupçonner. Il distinguait maintenant très clairement une sorte de chemin dans le milieu du ciel, un sentier poudreux qui menait vers des univers lointains. À travers le demi-sommeil qui l'envahissait, il se dit que c'était cette route-là qu'il devait emprunter.

Dieu demeura un instant assis sur son rocher à regarder le vieux dormeur et l'enfant qui somnolait malgré ses yeux grands ouverts. Les hommes ne cesseraient donc jamais de L'étonner avec leurs questions. Puis Il fit signe à l'ange de ne pas faire de bruit et les deux disparurent dans un frou-frou d'ailes.

Max se réveilla rempli de courbatures.

Le ciel était déjà clair. Une odeur de cuisson chatouillait ses narines.

Il prit appui sur ses coudes. À quelques pas de lui, pipe au bec, Godefroy était assis en tailleur près du feu qu'il avait ranimé et surveillait la cuisson d'un couple de brochemplumes. Bien qu'on pût lire sur ses traits des traces de cette lassitude qu'une nuit de sommeil ne parvient pas à effacer, la tristesse avait disparu de son visage. Il leva les yeux sur Max et sourit.

— Bien dormi?

— Je ne sais pas, dit Max d'une voix qui l'étonna lui-même tant elle sonnait pâteuse.

En réalité, il savait très bien. Toute la nuit, il avait cherché à s'envoler vers les étoiles. Debout sur la crête d'un rocher, les bras tendus vers le ciel, il se propulsait dans l'espace d'une simple flexion de jambes. Mais il n'avait pas sitôt pris son envol qu'un cri féroce le paralysait et il retombait lourdement sur le sol, au pied d'un Godefroy hilare qui cherchait à l'embrocher.

— Tu as faim? demanda Godefroy.

Max haussa les épaules.

— Il te faut manger avant de prendre la route, dit Godefroy en lui tendant un brochemplume fumant. Attention, ça brûle.

Max grignota sans conviction. Il retrouvait le même goût que la veille, l'euphorie de la première bouchée en moins. C'était donc vrai, ce qu'avait dit Godefroy au sujet des joies qui s'émoussent.

Godefroy observait Max qui mangeait en silence, fermant les yeux de temps en temps pour tirer sur sa pipe.

L'ange en profita pour entonner matines.

Max pignochait son brochemplume, la tête ailleurs. Il songeait au départ imminent et cela lui pesait. Certes, sa survie était désormais assurée, mais combien de temps encore devrait-il endurer ce pays sans attraits, cette géographie désespérante, cette impression de n'aller nulle part?

Comme s'il avait lu dans ses pensées, Godefroy se décida enfin à parler et Dieu fit signe à son ange de se taire.

— À un jet de pierre d'ici, dit-il, la terre s'adoucit. Le pays prend de l'ampleur. On y trouve des arbres, des forêts, des champs. Peut-être trouveras-tu là-bas ce que tu cherches.

Max comprit qu'il n'était pas question de faire route ensemble.

— Et vous, où allez-vous?

— Je le saurai quand j'y serai, répondit Godefroy en regardant vers le ciel. Quand je suis parti, j'ai obéi à quelque chose de plus fort que moi. Un jour, sans doute, j'arriverai quelque part et je saurai que j'ai atteint le terme de mon voyage. Je le saurai comme je sais quand j'ai faim et quand je suis rassasié.

— C'est curieux, dit Max songeur, parce que je sens que je pense la même chose.

— Je te l'ai dit, Max, nous sommes de la même race tous les deux. Nous obéissons tous les deux au destin.

Max regarda furtivement les plis de sa main. Mme Hermanina n'avait pas soufflé mot de rencontre ou d'appariement. Il n'avait jamais été question que d'un voyage.

— Nous sommes de la même race, mais nos quêtes sont différentes, reprit Godefroy. Peut-être les lieux que j'ai fuis te conviendront-ils et moi, de mon côté, je peux trouver mon compte dans des lieux qui ne t'ont pas inspiré. Les chèvres se nourrissent bien des ronces qu'un bœuf dédaignerait.

La mention de chèvres éveilla en Max une pointe de nostalgie: à cette heure, La Linotte s'affairait certainement à traire ses bêtes. Puis il les abandonnerait dans un coude de la rivière avant d'aller offrir le lait au fromager. Ensuite il reviendrait s'asseoir devant sa cabane pour tirer de sa flûte des airs que lui inspireraient le vent, la couleur du ciel ou le vol d'un bourdon.

Max soupira. Il passa la main dans ses cheveux pour dissiper le nuage de mélancolie que lui inspirait cette image rassurante.

— À six jours, dit-il en pointant dans la direction d'où il venait, il y a un arbre qui s'ennuie des humains. Peut-être déciderez-vous de demeurer avec lui?

— Tout peut arriver, dit Godefroy, mais au ton de sa voix, Max sentit qu'il n'en croyait rien.

Il s'enferma de nouveau dans ses réflexions. S'il pressait Godefroy, il y avait peut-être une chance que ce dernier accepte de partager sa route, au moins pour un temps. Ils pourraient s'entendre sur un itinéraire neuf tant pour l'un que pour l'autre. Après tout, le territoire était vaste, et qui sait ce qu'ils découvriraient en sortant des ornières du vieux chemin. Et puis non. Il vaut parfois mieux que certaines rencontres demeurent ce qu'elles sont, de brefs contacts, de simples effleurements qu'une trop grande insistance transforme en irritation.

— Et voilà, dit Max pour dire quelque chose.

— Voilà, voilà, voilà! dit Godefroy en se dressant sur ses drôles de jambes.

D'un coup de talon, il écrasa les braises du feu agonisant.

— Je te souhaite bon vent, petit.

Max eut un instant d'hésitation. Il avait la gorge serrée. Il avait envie de se précipiter vers Godefroy, de le serrer dans ses bras, de s'y blottir pour recueillir un peu de son odeur afin de mieux emporter son souvenir. Mais l'homme lui tournait déjà le dos.

Max le regarda partir. Sans se retourner, Godefroy leva le bras au-dessus de sa tête en un salut muet que Max lui rendit du bout des doigts. Il ramassa son baluchon, le balança sur son épaule et se mit en route à son tour.

— Qu'adviendra-t-il de Godefroy? demanda l'ange piqué d'une soudaine curiosité.

— Comment veux-tu que je le sache, Je ne suis

que Dieu, répondit Dieu en souriant. Pas un diseur de bonne aventure.

— Mais pourtant, vous connaissez toutes choses? répliqua l'ange, perplexe.

— Mettons que je préfère en ignorer quelques-unes, répondit Dieu. Autrement, où serait le piquant dans l'existence?

— Je vais méditer là-dessus, dit l'ange en rajustant son auréole.

Godefroy n'avait pas menti.

Max n'avait pas fait cent pas qu'il parvint à une sorte de promontoire. À ses pieds, au bas d'un versant pierreux où s'accrochaient de maigres arbustes, s'étalait une contrée toute en douceurs, aux formes molles et ondulantes, une campagne alanguie sur laquelle un géant mignard eût déposé une courte-pointe bigarrée. Ici le losange bleuté d'un champ de chicorée, là le rectangle acide d'une pièce envahie par la moutarde, plus loin la masse vert sombre d'un bois de conifères et ainsi de suite jusqu'à la ligne délicate d'un horizon embrumé.

Max fouilla du regard tous les recoins du paysage à la recherche des roulottes du cirque Pavoni. Il n'en voyait de traces nulle part. Cela lui importait peu, au fond. Il n'avait rien à dire à ces gens. Bien qu'il eût sans doute quelques questions pour Mme Hermanina.

Max dut mettre un frein à sa hâte de parvenir dans la vallée. La pente, sans être très forte, était rendue hasardeuse par les galets qui glissaient les uns sur les autres et menaçaient à tout instant de provoquer une chute douloureuse.

Dès qu'il eut enfin posé le pied sur la première

touffe d'herbes, Max retira ses souliers pour en
goûter pleinement la douceur. Ses orteils, attendris
par tant de jours de claustration dans des souliers
auxquels ils n'étaient pas habitués, s'étalèrent avec
volupté dans cette végétation chatouillante.

Une brise, aussi légère que le souffle d'une
mère qui refroidit le gruau qu'elle s'apprête à servir
à son bébé, tempérait les ardeurs du soleil et au
loin, quelques cumulus montraient leurs bonnes
grosses joues de nuages paresseux sans arrière-
pensée d'orage.

Ses souliers autour du cou, Max reprit son chemin, attentif aux odeurs et aux bruits. Il avait le
sentiment de renaître. Le bourdonnement des insectes, le pépiement des oiseaux, le trille d'invisibles
écureuils qui annonçait qu'on avait franchi les limites de leur territoire effaçaient petit à petit de son
souvenir les images de désolation rougeâtre qui
avaient été son seul horizon pendant des jours.

Comme il n'était pas pressé, il prit le temps de
s'arrêter pour pisser dans l'ombre d'un massif de
vinaigriers touffus. Ah! La joie de courber d'un jet
puissant la tête d'un brin de foin. Il ne manquait
que les cris de ses camarades, avec qui il se mesurait naguère afin de déterminer qui lancerait son
émission le plus loin, tiendrait le plus longtemps ou
atteindrait avec la plus grande précision le cœur
noir d'une rudbeckie ou le centre d'une toile d'arai-
gnée.

Un son incongru lui parvint à travers les bran-
chages et le tira brusquement de sa rêverie. Le bruit
sonnait étrangement familier, une sorte de toux
accompagnée d'un hennissement étouffé. Max se

rebraguetta en vitesse. Il fit quelques pas à travers le buisson en écartant doucement les branches afin de ne pas alerter la créature qui devait se trouver de l'autre côté. En dépit de cette précaution et bien que ses pieds fussent nus, une branche craqua sous son poids, ce qui provoqua une agitation en face. D'une main décidée, Max repoussa le dernier rideau de feuilles et se retrouva nez à nez avec un mufle allongé d'où saillaient de part et d'autre de gros yeux globuleux.

Le cœur battant, Max stoppa net et dévisagea la bête. Celle-ci eut d'abord un brusque mouvement de recul puis s'éloigna d'un pas mal assuré.

Max avait reconnu un des canassons du cirque Pavoni.

Revenu de sa surprise, il vit que l'animal s'en allait rejoindre ses deux compagnons qui broutaient le trèfle dans un champ voisin. À quelques mètres, les trois roulottes formaient un arc de cercle, comme lors de leur apparition à Privilège-sur-Sonatine. Au centre, un feu brûlait lentement sur lequel on avait posé un chaudron noir et pansu.

Max se sentit le ventre envahi de chatouilles. Il se demanda s'il devait s'approcher. Quelque chose en lui le poussait à revenir sur ses pas, à quitter ce lieu sans manifester sa présence. Ces gens étaient des bourreaux qui pâturaient sur la détresse humaine. En revanche, l'éventualité que Mme Hermanina consentît à regarder une fois encore dans sa main pour s'expliquer davantage sur les signes qu'elle y avait décelés l'incitait à réfléchir.

Il en était là à peser sa répulsion contre son attirance, lorsque la porte d'une des roulottes s'ouvrit pour livrer passage au nain. Max ouvrit de grands yeux. L'homoncule se dandinait comme la première fois qu'il l'avait aperçu et ne semblait pas le moins du monde incommodé par son récent voyage aérien. Une voix grasse provenant de la roulotte le fit se retourner.

— Et dis aux femmes de préparer la soupe. J'ai un creux, moi.

— Ouais.

Max aurait juré que ce timbre vulgaire était celui de Pavoni. Mais l'homme avait parlé sans l'accent et les mots bizarres qui caractérisaient son langage lors du spectacle à Privilège-sur-Sonatine. Il se rapprocha pour mieux entendre.

Le nain s'était dirigé vers trois femmes qui devisaient tranquillement devant la roulotte située sur la gauche. Max reconnut parmi elles Mme Hermanina. Le nain leur dit quelques mots que Max n'entendit pas. Une des femmes fit un geste de protestation, mais le nain haussa le ton.

— Discute pas!

Il y eut des murmures et les femmes se séparèrent. Sans se presser, Mme Hermanina s'approcha du feu et souleva à l'aide d'un bâton le couvercle du chaudron. Une vapeur impatiente s'en échappa et l'air se remplit d'une bonne odeur d'ail.

Max se tenait à présent tout près du campement, observant la scène sans trop savoir quelle conduite adopter.

Alors il sentit dans son dos une présence, un regard vrillé sur sa nuque. Il n'eut pas le temps de se retourner. Deux bras l'avaient saisi à la hauteur de la poitrine, emprisonnant les siens le long de son corps. Il se sentit soulevé de terre et ses jambes ruèrent en vain dans le vide.

— Lâchez-moi, vous n'avez pas le droit!

Son cœur battait à tout rompre. Mais l'étau se resserrait autour de ses poumons et il avait du mal à respirer. Mme Hermanina leva des yeux affolés en le voyant ainsi suspendu comme une marionnette.

— Ne lui fais pas de mal, Jacob. Ce n'est qu'un enfant.

Les bras se détendirent et Max se retrouva par terre aux pieds de Mme Hermanina. Il se retourna vers son agresseur et reconnut un des trois hommes qui avaient dressé le chapiteau lors du séjour de la troupe Pavoni à Privilège-sur-Sonatine.

— Je l'ai trouvé dans la clairière. Il nous espionnait.

— Je n'espionnais personne, protesta Max, je suis en voyage et je suis arrivé ici par hasard. Lâchez-moi!

— Mais je te connais, toi, dit Mme Hermanina. C'est le garçon dont j'ai parlé. Celui, le seul en fait, qui avait une main intéressante. Laisse-le, Jacob. Je ne pense pas qu'il soit bien dangereux.

Le nain, que les cris de Max avaient alerté, s'était précipité vers la roulotte de Pavoni.

— Qu'est-ce qui se passe? rugit ce dernier en ouvrant la porte.

Puis apercevant Max étalé par terre:

— Tiens donc! De la visite.

Il descendit d'un pas lourd les marches qui gémirent sous son poids et marcha tranquillement vers le garçon. Vu d'en dessous, Pavoni avait l'air

encore plus grand, plus rond, et les crocs de ses
moustaches, dont un sourire accentuait la courbe,
se découpaient contre le bleu du ciel de chaque
côté de son visage rougeaud.

— Qui est-ce? demanda-t-il à Hermanina.

— Un des enfants du village que nous avons
traversé il y a une dizaine de jours. Je le reconnais
parce que c'est le seul dont j'ai pu voir l'avenir. Les
autres avaient à peine un passé et rien devant eux
qu'une vie monotone.

— Qu'est-ce que tu fais là, toi, à des kilomètres
de ton village, ô jeune homme plein d'avenir?

— Je suis parti de chez moi, dit Max d'une voix
encore tremblante. Qu'est-ce que vous allez faire de
moi?

— Ça, ça dépend de toi, mon bonhomme. On
verra ça plus tard. Pourquoi es-tu parti? Tes parents
te battaient?

— Non.

— Tu étais mal nourri?

— Non.

— Alors?

Max conserva un silence prudent. Il ne pouvait
tout de même pas dire au patron du cirque
l'écœurement qu'il avait ressenti après son spectacle. Mais son esprit était trop bouleversé pour
inventer sur-le-champ un mensonge crédible. Les
mensonges, les vrais, ceux qui ressemblent à la
vérité, exigent des dispositions naturelles et un
sang-froid que Max ne possédait pas.

— Je... je suis parti pour découvrir le sens de la
vie.

Hermanina sourit, mais Pavoni éclata d'un rire

guttural que le nain accompagna aussitôt d'un rica-
nement sarcastique.

— Le sens de la vie! Rien que ça!

Puis, tout à coup, le visage de Pavoni se durcit.
Il se pencha vers Max autant que sa bedaine le lui
permettait et un souffle chargé d'ail enveloppa le
garçon, qui voulut détourner la tête. Mais Pavoni lui
saisit le menton dans sa grosse patte et planta son
regard dans le sien.

— Est-ce que ce ne serait pas plutôt pour nous
suivre? Hein! Pour nous suivre et nous dénoncer!

Max tressaillit sous l'accusation. Mme Hermanina
posa sa main sur le poignet de Pavoni, qui desserra
sa prise.

— Voyons, il est bien trop jeune pour ce genre
de chose. Et puis à qui voudrais-tu qu'il nous
dénonce? J'ai lu dans sa main qu'il quitterait son
village. Il a tout simplement suivi son destin.

— Foutaises, dit Pavoni. À force de raconter des
histoires aux gogos, tu finis par les croire.

— J'ai un don et tu le sais très bien.

— C'est vrai, j'oubliais que madame possède un
don. Le don de m'exaspérer, oui!

Hermanina baissa les yeux. Max vit qu'elle serrait
le poing dans les plis de sa robe à s'en rendre les
phalanges toutes blanches. Pavoni reporta son regard sur Max. Il se gratta le menton puis fit signe à
Jacob.

— Mets-le au frais avec le singe. Ça nous évitera
de le surveiller. Je déciderai plus tard ce qu'il faut
faire de lui. En attendant, j'ai faim moi.

Le grand gaillard s'avança et en un éclair, Max
se retrouva plié en deux sur son épaule comme un

sac de farine, les jambes et un bras entravés dans son étreinte poilue. Il lança un regard désespéré du côté de Mme Hermanina et il lui sembla qu'elle lui adressait un signe avec ses paupières.

— On ne va quand même pas laisser faire ça, dit l'ange, indigné.

— Qu'est-ce que tu veux que Je fasse? demanda Dieu.

— Quelque chose, n'importe quoi. Est-ce que je sais, moi! Foudroyer Pavoni, l'engloutir dans une crevasse, l'assommer sous une pluie de grêlons.

— Et quoi encore! La dernière fois que Je me suis livré à ce genre d'interventions, on ne peut pas dire que les résultats ont été brillants. À ce que Je sache, le veau d'or est toujours debout.

— Mais Pavoni est dégueulasse.

— Eh oui! Mais il faut de tout pour faire un monde.

Max était encore sous l'effet du choc.

Il éprouvait une nausée violente, sans doute causée par la brutalité dont il avait fait l'objet — Jacob l'avait enfermé sans ménagement dans cette roulotte obscure — mais aussi par l'épouvantable odeur qui y régnait: un remugle de paille pourrie à quoi se mêlaient des relents d'urine et d'excréments de bête.

La roulotte se divisait en quatre sections séparées les unes des autres par un muret de bois que des barreaux de fer prolongeaient jusqu'au plafond. Deux minuscules fenêtres perçaient le mur opposé à la porte et livraient passage à de maigres rayons bleutés qui reproduisaient sur le sol la silhouette déformée des volets aux lattes disjointes, animant sur leur passage une fine poussière de paille.

Max s'était recroquevillé dans un coin de son box, la tête appuyée sur les genoux tant pour échapper aux vapeurs pestilentielles qui piquaient sa gorge et lui donnaient envie de vomir que pour fuir à l'intérieur de lui-même, comme s'il avait suffi de fermer les yeux pour oblitérer le monde. Il écoutait les coups sourds de son cœur contre son tympan tout en cherchant à comprendre ce qui lui arrivait. Mais son esprit ne parvenait pas à juguler le flot d'images qui se succédaient sans ordre sur l'écran rouge de ses paupières closes.

La peur avait pris possession de son corps, le secouait, l'agitait d'incontrôlables frissons, lui nouait le ventre, bousculant dans sa tête les mots et les idées que sa raison s'efforçait en vain d'ordonner, de classer afin d'y déceler le fil conducteur qui mène à l'apaisement.

La frustration, voire l'angoisse de mille et une questions perpétuellement laissées sans réponses n'était rien à côté de ce qui l'habitait à présent. Désormais, Max affrontait un danger précis. Le péril avait un nom: Pavoni. Il pouvait se permettre les spéculations les plus échevelées, les perspectives les plus folles; la torture, les supplices, la mort, rien ne rebutait ce bourreau d'enfants.

À l'image énorme, menaçante et chargée de haine de Pavoni, il essayait de substituer le regard plein d'espérance de Mme Hermanina. Mais ce dernier résistait, refusait de se fixer à demeure, l'autre s'y superposant comme la seule certitude. Mourrait-il? À moins que ce ne fût déjà fait? Non. Les morts ne bougent plus, ne sentent plus. Mais qu'en savait-il au juste?

Non. Il n'était pas mort. Seulement étranger.

Voilà que ce mot s'imposait de nouveau comme un trait de lumière qui soudain éclaire la nuit et trahit ses mystères. Qu'il fût perçu comme un danger, n'était-ce pas le signe ultime de sa singularité? À Privilège-sur-Sonatine, personne ne lui avait jamais reproché ses bizarreries ou ses silences. Certes, on le tenait pour mystérieux, excentrique, original; on s'interrogeait, on s'inquiétait même parfois à son sujet. Mais si on le regardait comme une curiosité, si on trouvait étranges les questions qu'il posait, on s'était contenté de conclure — avec la simplicité de ceux qui accordent plus d'importance aux humeurs du climat qu'à celle de leur voisin — qu'il était un garçon sérieux pour son âge.

Pavoni non plus n'avait pas perdu son temps à chercher des explications. Il s'était accroché à la première certitude — pour lui un étranger était forcément un ennemi — et l'avait séquestré comme un être nuisible. Max était un espion. Il allait dénoncer la troupe. Mais pourquoi dénoncer une troupe de saltimbanques? Et la dénoncer à qui?

Que dissimulait donc Pavoni qui fût à ce point répréhensible qu'il craignait que d'autres l'apprissent?

Encore des questions et jamais, jamais de réponses.

— Rheû, rheû!

Max bondit sur ses pieds et se plaqua contre le mur. Il n'était donc pas seul dans cette pénombre puante. Le bruit provenait du box à côté.

— Rheû. Nina?

La voix était rauque, chuintante, un peu nasillarde comme celle d'une personne affligée d'un bec de lièvre.

— Nina? Réponds, Nina!

La voix s'était faite implorante, douloureuse. C'était une voix habitée par la peur, et Max se dit que s'il parlait, la sienne résonnerait de même.

— Ninaaaaa? Rheûû, rheûûû!

C'était une prière, un cri de désespoir, une supplique d'enfant qu'on abandonne. Max se glissa le long du mur jusqu'aux barreaux et jeta un coup d'œil dans le box jouxtant le sien.

Sur le plancher, il devina plus qu'il ne vit une forme oblongue qui gisait par terre. Sa mémoire fit le reste. C'était la créature du spectacle, cette chose informe sans bras ni jambes contre qui l'auditoire de Privilège-sur-Sonatine s'était acharné, la submergeant de ballons qui claquaient sur sa peau comme des coups de fouet.

— Je ne suis pas Nina, dit Max, soudain rempli de compassion.

La chose roula sur elle-même et tourna vers Max un visage poupin où il reconnut l'expression de sa propre peur.

— Ne craignez rien, dit-il en chuchotant, je ne vous ferai pas de mal. Je suis prisonnier comme vous.

— Prisonnier? chuinta la chose.

— Enfermé. Je ne peux pas bouger.

La créature ne répondit pas tout de suite. Il sembla à Max qu'elle réfléchissait, si tant est qu'une telle chose pût réfléchir. Ses yeux étaient plantés dans les siens et Max commençait à en éprouver du malaise.

— Qui es-tu?

— Je m'appelle Max. J'ai vu le spectacle que vous avez donné à Privilège-sur-Sonatine et cela m'a fait mal.

Encore un silence. La bête — Max ne trouvait pas d'autre mot — détourna le regard. Son corps s'anima d'un lent mouvement de reptation et elle se déplaça vers une des taches de lumière sur le plancher. À travers les ombres, Max put mieux observer ce visage humain, celui d'une fille ou d'une femme, un visage souillé, encadré de cheveux embroussaillés. Le corps cylindrique était enveloppé dans un sac de toile grossière qui avait déjà servi à emballer des oignons. À la hauteur des épaules pendaient sans forces deux petites mains.

— Tu n'es pas prisonnier. Toi, tu as des bras et des jambes.

Max eut le réflexe de dissimuler ses bras derrière son dos. Ils étaient tout à coup de trop, comme un privilège.

— C'est vrai, dit-il. Mais on m'empêche de m'en servir. Je ne peux pas sortir d'ici.

— Moi, je serais toujours prisonnière, même si j'étais dehors. Ici, je suis presque bien, c'est mon palais.

La créature souriait d'un sourire un peu triste, comme quelqu'un qui évoque le deuil d'une personne chère. Elle parlait doucement, toute trace de peur avait disparu de sa voix. Max s'était également apaisé. Il ne tremblait plus, et déjà les nausées s'estompaient en dépit des odeurs qui persistaient.

L'existence de cette créature, son étrangeté éveillaient une curiosité ou un intérêt qui dissipait les nuages noirs de l'angoisse.

— Je m'appelle Clara. Mais tout le monde m'appelle Rheû-Rheû.

— Depuis combien de temps es-tu là?

— Je ne sais pas. Depuis que j'ai l'âge d'avoir des souvenirs. J'ai toujours vécu dans l'univers de

Pavoni. C'est Mme Hermanina qui m'a trouvée. On m'a dit que j'étais toute petite et que je hurlais de faim sur un tas de détritus. Quelqu'un m'avait abandonnée, je pense. Ma mère peut-être. As-tu une mère, toi?

— J'en ai une quelque part dans un petit village au fond d'un cratère. J'ai aussi un père et un grand-père qui dort tout le temps. Mais c'est très loin tout cela.

Évoquant sa mère, Max revoyait la maison de ses parents avec sa petite clôture de piquets blancs qu'il devait rafraîchir chaque année après la fonte des neiges, le perron où on oubliait parfois le grand-père qui somnolait dans sa berceuse, son père drapé dans son silence, toujours absorbé dans la réparation d'un meuble, d'une gouttière ou d'une ruche et sa mère enfin, assise dans la cuisine qui constituait son royaume, épluchant des légumes, touillant un ragoût, astiquant ses marmites. Il cherchait dans son souvenir d'autres images familiales, des tableaux de fêtes, un visage penché sur le sien à l'heure du dodo, une partie de pêche avec son père, une promenade dans la campagne, un baiser sur la joue; mais s'il n'avait aucune peine à imaginer la circonstance et le décor, à s'y voir lui-même plus jeune, plus petit, la présence des autres demeurait floue, gommée et imprécise, comme tracée par la main d'un peintre maladroit inapte à dessiner les visages, à saisir d'un trait de crayon l'expression durable. Le seul portrait net qu'il conservait de ses parents était celui de cette dernière soirée, alors que l'un et l'autre trépignaient d'une joie mauvaise durant la représentation du cirque. Les rires étaient chargés d'un plaisir suspect, les regards, perçants comme des braises, les traits, déformés par une haine joyeuse.

— Rheû, rheû. Est-ce que tu vas rester avec nous?

La rêverie de Max s'était dissoute dans le clair-obscur de la roulotte. Clara le regardait de ses yeux doux et sa question le ramenait brusquement à la réalité immédiate. Il était prisonnier avec un être pathétique et son sort dépendait des humeurs de Pavoni. Max frissonna. Sa peur n'était pas tout à fait morte. Elle l'épiait, n'attendant que l'occasion propice pour le saisir à la nuque et la lui broyer entre ses crocs.

— Je veux m'en aller. Je suis en danger ici.

— Ailleurs les dangers sont encore plus grands. Tu devrais rester. Avant, il y avait plein de monde ici. Il y avait un homme à deux têtes, une femme-poisson et une sorte de chien qui possédait sur sa tête un panache. Après les spectacles, on faisait la fête. C'était gai. Maintenant, il n'y a plus personne. Je m'ennuie parfois.

— Que s'est-il passé?

— Je ne sais pas. Je pense qu'ils sont morts. Les spectacles sont très exigeants, tu sais. On ne peut pas prévoir. Parfois les spectateurs exagèrent et il y a des accidents.

— Vous voulez dire que les spectateurs les ont tués?

— Je ne sais pas. Ce sont des choses qui arrivent. C'est tellement fascinant de voir mourir un être. Beaucoup plus que de le regarder vivre. Pavoni a compris cela.

Max était horrifié. C'était encore pire que ce qu'il avait imaginé.

— Pavoni a le sens du spectacle, poursuivit Clara. Il sait ce qui plaît. C'est pour ça qu'il adopte un drôle d'accent lorsqu'il entre en piste. Il prétend que les gens veulent du jamais vu. Il appelle cela de l'exotisme. Il dit que le public est séduit par ce qui vient d'ailleurs. Par l'horreur aussi. L'horreur n'est pas autre chose qu'une forme achevée d'exotisme.

— C'est abominable, dit Max.

— Moins que tu le penses. Certains numéros sont préparés d'avance. Celui du nain, par exemple. Lorsque Pavoni le lance dans les airs, il y a tout un système de poulies et de câbles qui l'empêche de se blesser. Je déteste le nain. Rheûû.

— Tout cela est donc truqué?

— Mais mon numéro à moi n'est pas préparé. On ne sait jamais ce qui va se passer. Parfois je reçois des ballons, parfois autre chose. Depuis quelque temps, on ne me lance plus de cailloux. Je pense que Pavoni tient à me garder. Après tout, avec le nain et Hugo, l'équilibraire, je suis tout ce qui lui reste.

— Un fumiste, l'équilibraire, dit Max, écœuré.

— À l'image de Pavoni, répondit Clara.

— Et Hermanina?

— Nina? Elle est tellement bonne. Elle s'occupe de moi. Si Pavoni la laissait faire, mon palais serait plus propre. J'aurais des petits rideaux aux fenêtres et puis peut-être des coussins. Mais Pavoni ne veut pas. Il dit que les animaux deviennent capricieux lorsqu'on les cajole. Je pense qu'il a peur de moi parce qu'il sait que je possède des pouvoirs.

Clara chuchotait à présent comme si elle s'apprêtait à livrer un grand secret.

— Des pouvoirs? dit Max sur le même ton, mais sans savoir pourquoi il parlait bas comme à l'église.

— Des pouvoirs extraordinaires. Il ne me regarde jamais en face parce qu'il sait que je pourrais le transformer en n'importe quoi. En statue de pierre, en bout de bois, en souris, en grenouille même. J'ai souvent imaginé Pavoni en crapaud, avec sa grosse bedaine; si je parvenais à fixer son regard assez longtemps pour prononcer les mots magiques, il se transformerait sur-le-champ. Imagine, un crapaud avec des moustaches en croc et une face rouge comme le soleil du soir. Et là, je montrerais mes dents — elles sont très grosses, tu sais, et pointues — et je lui arracherais un œil. Oui! Parfaitement. Je mordrais une des grosses boules dorées que seraient devenus ses yeux et d'un coup sec, je la trancherais et je la cracherais au loin. Voilà ce que je ferai à Pavoni si un jour il me regarde dans les yeux. Mais il a peur. Il sait ce qui le guette. Quand il me parle, il regarde ailleurs, au-dessus ou au-dessous de mon regard.

Max regarda longuement Clara. Elle lui faisait pitié. S'il avait cru un instant à ses pouvoirs, son espérance était à présent anéantie. En dépit de sa désillusion, il éprouvait une sorte de reconnaissance navrée pour ses rêves. Peut-être était-elle ainsi depuis sa naissance. Peut-être les mauvais traitements qu'elle avait subis, les ballons qui l'avaient atteinte à la tête, les pierres, les détritus, qui sait, l'avaient-ils rendue folle. Une folie douce, de celle qu'on ne détecte pas tout de suite mais qui n'en

existe pas moins et qui se serait insinuée en elle
parce que, dans un moment de souffrance particu-
lièrement intense, la mort, distraite, n'avait pas
voulu d'elle; une folie protectrice en somme, une
armure, un bouclier contre une vie qui ne cessait
de s'acharner sur elle, jour après jour, spectacle
après spectacle. Clara délirait. Max en avait maintenant la certitude.

— Tu as déjà transformé quelqu'un en crapaud?
demanda-t-il néanmoins comme s'il nourrissait
l'espoir secret que Clara dît vrai.

— Oh non, répondit-elle. Mon pouvoir est bien
trop précieux pour que j'en use sans discernement.
Je le garde pour Pavoni. Et puis jusqu'à présent, il
n'y a que deux personnes qui ont consenti à me
regarder dans les yeux. Il y a Nina...

— Et...

— Toi, Max.

Max rougit comme un bambin pris en flagrant
délit de larcin dans le garde-manger.

— Je dois sortir d'ici, dit-il en détournant subitement les yeux.

— Je veux t'aider, dit Clara. J'ai d'autres pouvoirs à ma disposition.

— Bien sûr, dit Max.

Il avait grimpé sur le muret en s'accrochant aux
barreaux et cherchait sans conviction à forcer un
des volets. De toute évidence, même s'il y parvenait, l'ouverture ne serait pas assez grande pour lui
livrer passage.

— Tu ne me crois pas, dit Clara, un soupçon de
tristesse dans la voix.

— Mais si, je te crois. Je te crois. Mais je ne veux

pas être transformé en crapaud, ni en rien du tout. Je suis moi et si je sors d'ici, c'est en tant que moi que je sortirai.

— Mais qui te parle de te transformer? Je suis capable de bien d'autres choses encore. Je peux sortir d'ici quand je veux, moi. Il me suffit de fermer les yeux et je marche sous la pluie, si je le veux. Je prends du soleil sur les roches plates d'une rivière, si je le veux. Je vole avec les oiseaux, si je le veux. Je peux même, si je le veux, t'emmener avec moi.

Max aurait voulu expliquer qu'il comprenait, qu'il était sensible à sa proposition, mais qu'il ne suffisait pas de fermer les yeux pour sortir d'une prison, que lorsqu'il les ouvrirait, les murs existeraient toujours avec leurs barreaux de fer et leur odeur infecte. Mais comment dire cela sans effaroucher Clara, sans enfoncer ses convictions et provoquer en elle la naissance d'un désespoir qui ne manquerait pas de la détruire en dissipant la fumée de son délire?

— Tu peux toujours essayer, dit-il, tout en examinant une à une les planches grossières du parquet dans l'espoir d'y découvrir une faille.

— Tu doutes? demanda Clara.

— Mais non, répondit Max, mais son ton affirmait le contraire.

— Quand on n'a ni bras ni jambes, Max, on sent mieux les choses que les autres. Et ton doute me traverse aussi sûrement qu'un poignard.

Le plancher n'avait rien à offrir. Et la détresse qui rendait tremblante la voix de Clara troublait Max.

— Laisse-moi t'aider, implorait la créature. Laisse-moi au moins essayer de t'aider.

Et puis après tout, pourquoi pas? Qu'avait-il donc à perdre sinon quelques minutes qu'il ne pouvait mettre autrement à profit? Bien qu'elle eût connu des jours plus glorieux, la roulotte n'en était pas moins solide, et Max se rendait compte qu'il n'obtiendrait rien avec ses seules mains pour outils.

— D'accord.

— Tu me fais tellement plaisir, Max, que je me sens toute légère. Alors, ferme tes yeux et pense très fort à ce que tu souhaites.

Max s'appuya contre le mur et ferma les yeux.

— Je veux sortir d'ici, je veux sortir d'ici, je veux sortir d'ici.

De son côté, Clara fit de même et ses petites mains s'agitèrent un instant comme des ailes impuissantes avant de devenir des poings minuscules qui blanchirent sous l'effort. Son visage se crispa comme si elle soulevait un fardeau.

Max entendit un craquement suivi d'un gémissement de métal rouillé.

Une voix chuchota son nom dans le noir.

Il ouvrit les yeux.

Quelqu'un pénétrait dans la roulotte. Max se glissa vers le fond de son box. Dans le contre-jour créé par la porte ouverte, il ne reconnaissait pas la silhouette. Chose certaine, ce n'était pas celle de Pavoni.

— Max? Ne crains rien. J'apporte un peu de nourriture.

Il reconnut la voix de Mme Hermanina.

— Je ne peux pas rester longtemps. Pavoni m'a

permis de te nourrir, mais il a dit que nous ne pouvons pas nous offrir le luxe de bouches inutiles. Il veut t'utiliser dans le cirque. Il a parlé d'un numéro de dards qu'il entend mettre au point avec le nain.

Max tressaillit. Il se vit, lié à un poteau, un cercle rouge dessiné sur la poitrine, percé de centaines de pointes, chacune donnant naissance à une petite rigole de sang. Il vit ses yeux crevés, sa chair déchirée, et la peur l'habita une fois encore. Il se mit à pleurer.

— Non, ne pleure pas, tu vas attirer leur attention. Je t'ai apporté ceci.

Elle glissa sous la porte qui fermait le box deux objets longs et minces. Max reconnut la croûte dorée d'une miche de pain et le reflet bleuté d'un pied-de-biche.

— Prends cela, Max. Attends la nuit noire et sers-toi de ceci pour briser le verrou. Il cédera facilement. Mais ne fais pas de bruit. La porte de la roulotte n'est pas fermée. Tu l'ouvriras et tu fileras dans le bois. Ne regarde pas derrière toi. Fuis aussi vite que tes jambes te le permettront. Je te l'ai dit au village, ta destinée est ailleurs. Et ça, c'est la vérité vraie.

Mme Hermanina esquissa un sourire et sortit aussi rapidement qu'elle était entrée, avant même que Max ait eu le temps de la remercier.

Il se déplaça sur ses genoux vers les objets. Il s'empara rapidement du pied-de-biche qu'il posa le long du muret et le recouvrit d'une couche de paille humide.

— Tu vois, Max, que mes pouvoirs sont grands, fit Clara d'une voix mutine.

Max prit le pain, le rompit et, à travers les barreaux, il tendit le plus gros morceau à la créature,
qui paraissait illuminée d'un grand bonheur.

— Je suis ému, dit l'ange.

— C'est pour ça que tu es un ange, répliqua
Dieu.

Le verrou avait cédé sans effort. À peine les clous rouillés qui le retenaient laissèrent-ils échapper un léger couinement lorsque Max exerça sur le pied-de-biche une dernière pression qui lui fit rendre l'âme. Il avait dû travailler à tâtons puisque aucune lumière, pas même le plus petit rayon de lune, ne pénétrait à cette heure dans la roulotte.

L'oreille aux aguets, Max s'immobilisa, les muscles tendus. On n'entendait que l'oraison nocturne des criquets, à quoi se mêlait le chœur grave des ouaouarons.

Rassuré, Max poussa la porte de son box et se glissa vers celui de Clara en utilisant les barreaux pour le guider.

— Clara, vous dormez?

— Non, je ne dors pas.

Dans l'obscurité, le chuchotement de Clara semblait provenir d'un autre univers.

Max avait pris une décision: il emmènerait Clara avec lui. Il ne pouvait supporter l'idée de s'enfuir en abandonnant à son sort cette créature qu'on torturait pour le plaisir malsain des foules avides de sensations fortes. Elle méritait de voir le soleil, de se rouler dans l'herbe, de plonger dans une rivière.

— Où êtes-vous?

— Je suis là, par terre. Tu dois partir, Max. C'est l'heure.

— Je vous emmène avec moi.

Il y eut un silence. L'obscurité parut un instant plus épaisse, presque tangible.

— Non. Je ne veux pas.

La voix était ferme, décidée, et la réponse, cinglante, comme une botte imparable.

— Mais je ne peux pas vous laisser là. Que vont-ils vous faire?

— Rien qu'ils ne m'aient déjà fait.

— Mais ils vous tueront.

— J'en doute. Si ç'avait été son intention, Pavoni l'aurait fait bien avant aujourd'hui. Nous ne sommes plus si nombreux dans la troupe qu'il puisse s'offrir le luxe de sacrifier ne fût-ce qu'un seul d'entre nous. Pavoni a besoin de moi. Et moi, en dépit de sa férocité, j'ai besoin de lui. En tout cas, pour le moment. Et puis, je ne suis pas trop à plaindre. Mon existence s'améliore; je te l'ai dit, cela fait déjà un moment qu'on ne me lance plus de pierres.

Max tergiversait. Il aurait voulu pénétrer dans le box de Clara, la charger sur son épaule et s'enfuir avec elle, sans discuter. Pourquoi persistait-elle à vouloir demeurer dans cette fange alors qu'il lui offrait enfin une occasion de fuir, de vivre au grand jour, de ne plus subir les outrages du public et le mépris de Pavoni?

— Je sais ce que tu penses, Max. Tu as pitié de moi. Mais sache que je ne serais pas plus heureuse de me savoir à ta charge. Je ne puis rien par moi-même. Mes pouvoirs sont grands, mais ils ne peuvent ni me nourrir ni me vêtir. Que serait désormais ta vie si tu devais me transporter partout, me protéger de tout? Je ne marche pas, c'est à peine si je puis rouler sur de courtes distances. Je suis lourde, tu sais, malgré ma petite taille. Beaucoup plus que tu ne le crois. Un jour, tu te lasserais. Je serais devenue un fardeau, un boulet à ta cheville. Alors, petit à petit, tu en viendrais à me détester. Non! Ne proteste pas, je sais ce que je dis. Les plus grandes amours se métamorphosent en haine lorsque celui qu'on aime a trop besoin de soi. Le ressentiment s'insinue peu à peu dans le cœur et puis, un jour, il éclate en une gerbe de fureur comme une forêt qui s'embrase. Et alors, on commet des actes dont on ne se serait jamais cru capable.

— Jamais, dit Max, indigné.

— Oh si, Max. Ma seule présence te serait odieuse. Je deviendrais à tes yeux un objet de répulsion et tu ferais comme jadis celle qui m'a conçue: tu m'abandonnerais sur un tas d'ordures et tu t'enfuirais, honteux mais néanmoins libéré. Et plus tard, beaucoup plus tard, tu regretterais ton geste. Mon souvenir te hanterait, tu te détesterais toi-même et tu vivrais l'angoisse des grands coupables impunis. Non, Max. Tu dois partir seul.

Le box de Clara n'était pas fermé. Délicatement, Max avait tiré la porte vers lui et s'était agenouillé dans l'ouverture afin de mieux entendre ses murmures.

— Mais qu'allez-vous devenir?

— Ce que j'ai toujours été. Une créature patiente qui attend le jour de sa vengeance. La haine, c'est une raison de vivre qui en vaut bien une autre. Si je n'ai qu'une certitude, c'est que dans une semaine, dans un mois, dans une année, Pavoni me regardera dans les yeux et ce jour-là, je le tiendrai. Si je partais avec toi, je devrais renoncer à cette joie. Ma haine à moi n'aurait plus d'objet et j'en mourrais. Ne me tue pas, Max.

Le ton de Clara avait changé. Il n'y restait plus rien de la douceur pleurnicharde qu'il avait eue l'après-midi. Les mots tombaient dru, portés par la colère. Max sentait que rien ne fléchirait sa résolution. En même temps, partir seul le soulageait. Bien qu'il n'en convînt pas sans honte, il savait bien, tout au fond de lui-même, que Clara n'avait pas tort et que seule la pitié commandait son geste.

— Ne t'en veux pas, dit Clara comme si elle lisait ses pensées. Ta compassion me touche. N'oublie pas que j'ai toujours Nina. Elle est bonne pour moi. Elle non plus ne songe pas à partir. Je suis devenue sa raison d'être parce qu'elle croit en mon pouvoir. Et je vais te dire un secret: Nina sait que Pavoni tombera. C'est écrit dans sa main, mais elle ne le lui a jamais dit. De toutes manières, il ne croit pas aux lignes de la main, ni en rien d'autre d'ailleurs. Il accorde tout juste à mes pouvoirs le bénéfice du doute. Pavoni est un mécréant, c'est ce qui le perdra. Et Nina veut assister à sa chute. C'est pour cela qu'elle ne part pas. À présent, file. Je vais t'aider dans ta fuite.

— Comment!

— Pense à mon pouvoir, Max. Je vais serrer les

poings et maintenir Pavoni dans un sommeil profond, le temps que tu t'évades. Et quand il s'éveillera, tu n'auras été pour lui qu'un songe qu'il mettra sur le compte de sa mauvaise digestion.

La voix était redevenue douce, presque tendre. Max sentit que Clara se glissait vers lui. Il perçut sa chaleur toute proche.

— Si tu savais le bonheur que tu m'as donné! Tu m'as permis d'utiliser mon pouvoir pour te venir en aide. Tu as donné un nouveau sens à ma vie.

Max sentit sa gorge se nouer. Comment pouvait-il donner à un autre ce qu'il ne possédait pas lui-même?

Comme un aveugle, il tâta l'air devant lui. Ses doigts effleurèrent le visage de Clara. Sa peau était veloutée, comme un fruit plein de sève. Il sentit dans ses paumes la chaleur de ses joues, ses pouces suivirent les contours de son nez, puis la courbe des sourcils. Il pencha la tête et déposa sur le front brûlant un baiser.

— Adieu, Clara.

— Adieu, Max. Je penserai toujours à toi. À présent, va-t'en. Je ne veux pas pleurer devant toi.

Max se releva et, toujours à tâtons, se dirigea vers la porte. Le loquet joua sans bruit et les gonds — Clara possédait-elle ce pouvoir? — tournèrent en silence.

L'air frais de la nuit s'engouffra dans la roulotte et fouetta le visage de Max, séchant les larmes qui coulaient sur ses joues. Il regarda autour de lui. Un feu se mourait dans le cercle de pierres.

— Adieu, mon amour!

La voix de Clara s'était mêlée à la brise nocturne

et Max ne l'entendit pas. Il avait enjambé les trois marches de la roulotte et courait déjà, silencieux comme un chat, vers la ligne sombre du bois voisin. «Jamais je n'atteindrai les arbres», pensait-il. Plus il avançait, plus ceux-ci paraissaient s'éloigner. La crainte qu'un seul craquement de branche pût donner l'éveil l'empêchait de pousser sa course à fond. Le bruit sourd de ses pas contre la terre, les battements accélérés de son cœur, sa respiration haletante même lui parvenaient aux oreilles comme amplifiés, décuplés, et il imaginait leurs vibrations perceptibles jusque sous le lit de Pavoni, qui ne manquerait pas de se lancer à sa poursuite. Il pensait aux ogres des contes de fées qui chaussent des bottes de sept lieues pour rattraper les enfants évadés de leurs garde-manger; il avait la vision de ce cavalier sans tête qui apparaissait soudainement devant ceux qu'il pourchassait et il s'attendait à tout moment à buter contre le ventre immense de Pavoni, qui éclaterait devant lui de son gros rire gras avant de le saisir par le fond de sa culotte et de l'embastiller de nouveau.

À bout de souffle, il parvint enfin au pied du premier arbre qu'il étreignit comme un vieil ami retrouvé. Son écorce était lisse et rassurante. Il le serra avec le désespoir d'un naufragé qui s'accroche à son épave, comme pour se fondre en lui, devenir arbre à son tour. Il n'entendait rien des bruits de la nuit, tout à son souffle court et aux palpitations désordonnées de son cœur qui bourdonnaient dans son crâne.

Il fit le tour de l'arbre. Du côté du campement, tout était calme. Entre les masses sombres des roulottes, les braises du feu rougeoyaient d'un éclat à peine perceptible. Le tableau respirait la paix. Il s'en dégageait une impression de sérénité naïve, de petit bonheur comme on en retrouve dans les culs-de-lampe d'un livre de contes. À voir ainsi de loin ces trois véhicules paisibles disposés en arc de cercle, on pouvait difficilement imaginer les drames dont ils avaient été le théâtre. Qui soupçonnerait derrière cette image innocente les turpitudes d'un Pavoni, la bassesse d'un nain, les angoisses d'une Clara, la résignation d'une Hermanina et le sort abominable de l'homme à deux têtes, de la femme-poisson et du chien empanaché? Qui devinerait qu'à cette heure même, dans ce décor rassurant, un gros homme rouge et un nain diabolique achevaient peut-être de mettre au point un numéro de torture où le public serait invité à percer de dards le corps pantelant d'un petit garçon crucifié?

— Quelle horreur! murmura Dieu, à qui les pensées de Max, même les plus secrètes, n'échappaient pas.

L'ange le regarda sans comprendre et vit qu'un pli soucieux barrait le divin front.

Max appuya sa joue contre le tronc de l'arbre pour y puiser un surcroît d'énergie.

— Aide-moi, lui souffla-t-il en serrant les doigts sur son écorce.

Mais l'arbre était sans doute trop jeune pour parler le langage des hommes ou peut-être n'était-il pas de la même espèce que celui auquel Max avait déjà eu affaire car il ne répondit pas.

Quoi qu'il en fût, l'heure n'était pas à l'apitoiement mais à l'évasion. Il était impérieux que Max mît entre lui et ces gens la plus grande distance possible.

Un hibou donna le signe du départ.

— Hou, hou.

Max crut entendre: «Cours, cours.»

Il s'élança à travers le bois sans se soucier des rameaux bas qui lui cinglaient la figure, des épineux qui lacéraient ses jambes et des racines qui menaçaient de le faire trébucher à chaque pas. La douleur l'éperonnait. Jamais il n'avait couru aussi vite. Il ne se savait pas capable d'enjambées aussi longues ni de bonds aussi hauts.

On le poursuivait, c'était certain! N'entendait-il pas derrière lui les bruits sourds d'une course, à moins qu'il ne s'agît que de l'écho de ses pas?

Pavoni s'était brusquement réveillé. Ou bien c'était le nain. Oui! Le nabot avait sûrement le sommeil léger — les crapules ne dorment jamais que d'un œil; il s'était levé pour prendre l'air, ou ranimer le feu, ou plus simplement pour s'assurer que tout était en ordre. Il avait vu la porte de la roulotte entrouverte. Il avait donné l'alarme, sa voix de fausset résonnant dans la nuit comme le cri d'un coyote. Les hommes avaient bondi hors de leur lit. Ils avaient détaché les chiens. Max n'avait pas vu de chiens près des roulottes, mais cela ne voulait rien dire. De tels individus ont toujours des chiens pour accomplir leurs basses besognes et se repaître ensuite des cadavres. Et puis, on ne se lance pas sans chiens à la poursuite d'un gibier.

Les femmes pleuraient. Hermanina s'était écroulée aux pieds de Pavoni en hurlant: «Pitié.» Clara s'était tordue de désespoir sur sa couche. Elle avait serré les poings très fort jusqu'à s'en faire éclater les phalanges. Elle avait crié: «Dormez, dormez, je le veux.» Mais ses pouvoirs s'étaient révélés dérisoires et cette vérité l'avait tuée.

La vie de Max était en jeu.

Et si ce n'était qu'un jeu?

À force de courir, de bondir, de sauter par-dessus les obstacles, Max éprouvait un véritable plaisir à fuir. Sa peur devenait audace, son angoisse, courage. Le souffle de l'air qui sifflait dans ses cheveux le grisait et la certitude de plus en plus ferme qu'il distançait ses poursuivants le remplissait d'une satisfaction jusqu'ici inconnue. Sa vie ne tenait plus qu'à un fil; cela la lui rendait tout à coup infiniment précieuse. Tout ne dépendait maintenant que de lui, de la force de ses jambes, de la puissance de ses poumons.

— On pourrait peut-être dissiper les nuages afin que la lune éclaire un peu son chemin, demanda l'ange qui observait la course d'en haut, à travers le couvert des arbres.

— Pourquoi faire? dit Dieu. Il se débrouille très bien. De toutes manières, le jour est sur le point de se lever. Aie confiance, mon ange.

Max souriait maintenant. Si Pavoni le suivait, il devait être à demi mort, cramoisi à en éclater, appuyé contre un arbre en train de vomir ses tripes. Non, Pavoni ne s'était pas lancé à sa poursuite. Il n'y avait pas de chiens et le nain ronflait comme la bête qu'il était sous l'emprise des pouvoirs de Clara qui ne désemparait pas.

La course enivrait Max au point de lui en faire oublier la cause. Rassuré à l'idée que Clara s'occupait de lui à distance, il courait pour courir, pour sa propre joie. Il était devenu chevreuil et se sentait chez lui dans ces bois noirs qu'il traversait sans aucune hésitation, comme s'il y était né. Jamais auparavant ne s'était-il senti aussi libre, sans doute parce que, avant cette nuit, il l'avait toujours été.

Lorsqu'il sortit d'un massif, un espace déboisé apparut où se profilaient vaguement des formes hautes et sombres qui n'étaient pas des arbres. Max s'arrêta net. Il ne parvenait pas à identifier la nature de ces taches qui se découpaient, noires sur noir, contre les ténèbres de la forêt. Il s'appuya contre un arbre. Il soufflait fort et la sueur lui coulait sur le corps comme une pluie chaude. Une brise s'élevait qui le rafraîchissait. Le monde tournait comme une mécanique bien huilée. Il était épuisé, mais libre.

Au moment où il allait se laisser tomber dans la mousse qui tapissait le sol pour reprendre son souffle, un murmure parvint à ses oreilles.

— Maaaaaxxxxxxxxx!

L'univers tourbillonna un instant autour de lui et Max, rendu, s'écroula comme un arbre terrassé par la foudre.

Pavoni était nu jusqu'à la ceinture. La sueur perlait dans la toison rousse qui couvrait sa poitrine et son ventre immenses. Il portait une culotte de cheval, des bottes de cuir noir à revers rouges et ses poignets étaient ornés de larges bracelets de cuir garnis de clous brillants. Il brandissait dans sa main un chat à neuf queues dont les miaulements sinistres glaçaient le sang.

Max était suspendu par les pieds à une chaîne. Ses mains ne touchaient pas à terre. Ses mollets et ses cuisses le faisaient atrocement souffrir. À travers un voile rouge, il pouvait voir le cadavre éventré de Clara, fendu en deux dans le sens de la longueur, d'où s'exhalait une insupportable odeur de charogne.

Pavoni ramena derrière sa tête la main qui tenait le fouet. Les lanières sifflèrent, sinistres.

— Maaaaxxxxx!!

Max ouvrit les yeux. Dans quel monde s'éveillait-il? Rêvait-il qu'il rêvait et que dans son rêve il s'éveillait? La frontière lui semblait si ténue entre le songe et la réalité qu'il se demandait — ce n'était pas la première fois — si l'un et l'autre n'étaient pas le produit d'une même imagination dont il n'était que la créature inventée. Au-dessus de sa tête, des nuages pressés roulaient en silence vers quelque rendez-vous urgent. Les cimes des arbres se courbaient dans la brise. Se pouvait-il que le vent dans les branches articulât son nom?

— Maaaaxxxxx!!

Un souffle ou une voix? Elle provenait de partout à la fois: du sol couvert de mousse, des troncs, du ciel, de la terre, de sa tête. Qui l'appelait? Pavoni l'avait-il rejoint? Non. Mme Hermanina? Non. Clara? Impossible!

Max se dressa sur son séant. Une douleur aiguë dans les jambes lui rappela son équipée nocturne et le rassura sur son état de veille. Sa mémoire se défripa et les souvenirs récents tombèrent en place. Il avait couru comme jamais puis s'était arrêté devant ce qui paraissait une clairière et cette voix surgie de nulle part l'avait pris de court, assommé. Sans doute la peur, profitant de son épuisement, l'avait-elle terrassé. De s'entendre ainsi nommé en pleine nuit, après une fuite éperdue dans les ténèbres, il y avait de quoi perdre le sentiment.

— Maaaaxxxxx!!

Encore!

Max se leva d'un bond douloureux et regarda autour de lui. Les muscles de ses cuisses protestèrent.

C'était bien une clairière qui s'étalait devant lui, une clairière comme il n'en avait jamais vu, un espace parfaitement circulaire, nu, où se dressaient, violets, verdâtres et marbrés, d'étranges monolithes.

Des pierres posées verticalement sur un sol tapissé de gravillons, une sorte de jardin pétrifié à la gloire de quelque dieu minéral.

— Maaaxxxx!

Max frissonna. Il dut faire appel à tout son courage pour articuler d'une voix qu'il voulait forte:

— Sors de ta cachette!

Il y eut des gloussements et des rires étouffés.

— Nous ne sommes pas cachées.

Nous? Ils étaient donc nombreux. Mais combien? Et où? Des fantômes? Il avait passé l'âge de croire aux revenants, bien que, devant le mystère, les esprits les plus forts le cèdent parfois aux croyances les plus folles. Pourtant, Max se sentait disposé à affronter n'importe quel spectre plutôt que d'avoir à faire à Pavoni.

— Où êtes-vous? Montrez-vous.

— Nous sommes ici, Max, devant toi.

Les pierres. Cela provenait des pierres. Il y avait donc quelqu'un qui se dissimulait parmi elles, quelqu'un qui le connaissait. Godefroy peut-être? Godefroy qui l'avait suivi ou précédé — allez donc savoir — et qui s'amusait à le mystifier en contrefaisant sa voix. Mais comment parvenait-il à donner l'illusion d'être plusieurs?

Max se déplaça lentement autour du jardin de roches, prenant bien garde de ne pas mettre le pied sur les graviers, comme si cela allait déclencher un cataclysme. Il obéissait à une intuition. Qui sait si ce tapis rocailleux ne cachait pas un piège? En revanche, si Godefroy se cachait derrière un de ces rochers, il ne manquerait pas de l'apercevoir.

— Godefroy?

— Ne cherche pas ce que tu as déjà trouvé, Max, répondit une voix solitaire.

— Pourquoi nier l'évidence, Max? enchaîna une autre, plus aiguë.

— Lorsqu'il ne reste qu'une hypothèse, c'est celle-là qu'il faut retenir, Max, poursuivit une troisième, grave comme un bourdon d'église.

Puis, de nouveau, l'inquiétante cascade de joyeux gloussements.

Il n'y avait pas de Godefroy. Personne. Que des arbres et, comme une tonsure, cette rocaille plantée de rochers dressés tels des phares.

Max se résigna à lancer quelque chose qu'il jugeait absurde, mais il voulait en avoir le cœur net.

— C'est vous, les rochers, qui parlez?

— Ahhhh! soufflèrent les voix qui pouffèrent comme des tout-petits satisfaits d'un bon tour.

Max respira, soulagé de n'avoir pas à transiger avec des fantômes. Les spectres lui rappelaient les contes de son enfance et plus d'un avait hanté ses nuits, jadis.

— Qui êtes-vous? demanda Max.

— Nous sommes les piliers de la sagesse, la mémoire de l'univers, la science et la connaissance.

— Nous sommes les réponses aux questions qu'on ne pose jamais.

— Nous sommes les oreilles de la forêt, les gardiens de tous les secrets.

— Nous sommes, nous avons toujours été et nous serons toujours.

Dieu avait perdu un peu d'altitude pour mieux entendre. Il regarda l'ange avec un sourire en coin.

— Elles exagèrent un peu, dit-il.

— Nous savons tout de toi, Max, dit une des roches.

Max constata que lorsqu'une pierre prenait la parole, il se produisait dans sa texture une transformation subtile: tel un cocon translucide habité par quelque chrysalide lumineuse, elle se mettait à rayonner faiblement d'une pulsation délicate.

— Tu es Max et tu cherches le sens de la vie.

Il y eut des rires dans tous les registres.

Max s'indigna.

— C'est donc si drôle? Et puis, d'abord, qui vous a dit que je cherchais le sens de la vie?

— L'univers n'a pas de secrets pour nous, fit un bloc de granit rose. Nous existons depuis bien longtemps et nous avons la chance d'avoir appris des langages que d'autres dédaignent: le vent est devenu un vieux complice et à force d'écouter les oiseaux au lieu de nous borner à les entendre, nous avons développé quelque intelligence avec eux. Dans leur babillage nous décelons parfois des choses dignes d'intérêt. Ce sont des messagers étonnants dont les piaillements, les croassements ou les roucoulades sont riches d'enseignements.

— Évidemment, ajouta une aiguille de quartz, il faut en prendre et en laisser. Les oiseaux, pauvres bêtes, n'ont pas grand discernement et colportent parfois n'importe quoi.

Une hirondelle qui s'exerçait à perfectionner son vol en piqué au-dessus de la clairière protesta en sifflant.

— Mais, poursuivit le granit sans tenir compte de la colère du volatile, ils voyagent beaucoup et leurs commérages se révèlent parfois bien précieux pour qui porte un intérêt au sens de la vie. Comme toi, Max, et comme nous, puisque cela fait des siècles et des siècles que nous méditons là-dessus.

— Amen, ânonnèrent les autres pierres.

Les arbres frissonnèrent de toutes leurs feuilles, l'hirondelle fila à tire d'ailes et l'ange se signa pendant que Dieu lissait sa barbe d'un air absent.

Max regardait les pierres, incrédule. Si elles disaient vrai, son voyage était peut-être arrivé à son terme.

— Donc, vous savez à quoi servent la vie, les hommes, les êtres et les choses? demanda-t-il.

Il y eut encore une cascade de rires et le jardin de pierres étincela de reflets luminescents.

— Évidemment, voyons! Bien que nous soyons versées en toutes choses, le sens de la vie constitue notre premier sujet d'étude, notre spécialité, pour ainsi dire.

La pierre qui parlait avait la forme d'un moine encapuchonné et les mots qu'elle articulait d'une voix de basse profonde se traduisaient par de tranquilles lueurs violettes.

— Nos discussions millénaires, poursuivit-elle, nous ont amenées à identifier non seulement la nature de la vie, mais à en connaître les origines et aussi la finalité. Nous n'avons pas grand mérite puisque nous avons disposé de plusieurs millions d'années pour en arriver là.

Il y eut quelques faibles radiances d'approbation accompagnées de oh! et de ah!

— Je sens que nous allons en entendre de belles, dit Dieu à son ange, qui avait arraché une de ses plumes pour prendre des notes.

— Est-ce que tu veux toujours connaître le sens de la vie? demanda un vieux pain de sucre en basalte.

Max réfléchit. Il éprouvait une sorte de trac. Des picotements parcouraient sa peau à l'idée qu'il allait enfin savoir, mais en même temps, la quasi-certitude d'être arrivé au terme de sa poursuite tempérait inexplicablement sa joie, si bien qu'il ne pouvait se défendre d'une certaine mélancolie. Qu'adviendrait-il de lui à présent qu'il touchait du doigt l'objet de sa quête? Il ne pouvait pourtant pas laisser filer l'occasion. En revanche, ne risquait-il pas une déception? Mais la déception ne valait-elle pas mieux que l'ignorance? Ce dernier argument l'emporta.

— Oui, répondit-il enfin.

— Ahhhh, firent les roches en chœur.

— Enfin une occasion d'instruire, de transmettre notre science, ajouta une flèche d'obsidienne. Je vous l'avais dit que ce jour viendrait. Qui commence?

Le jardin s'anima de couleurs enthousiastes pendant que des «moi» impatients fusaient de toutes parts.

— Silence, trancha un silex. Allons-y par ordre alphabétique.

— Alors c'est à moi, dit l'albâtre.

Elle toussota pour éclaircir sa voix.

— Au commencement, psalmodia-t-elle, était le Verbe...

— Ah non! fit une voix anonyme. Tu ne vas pas revenir là-dessus. Nous avons assez discuté pour savoir que les choses ne se sont pas passées ainsi. Au commencement, il y avait le néant et...

— Sottises et billevesées, fit une autre. Au commencement, il y avait le grand tout, je croyais que nous nous étions entendues...

— Alors c'est que tu n'y entends rien parce que nous avons établi depuis longtemps qu'il n'y a pas eu de commencement...

— Encore cette hypothèse absurde, grinça un gneiss. Tout a un commencement, cela tombe sous le sens. Tout vient de l'Innommable...

— Innommable, Innommable! Ce qui n'a pas de nom n'existe pas, c'est d'une évidence.

— Il n'y a d'évidence que pour les petits esprits qui ne peuvent transcender la réalité!

— Tête de roc!

— Et toi donc, sédiment!

— Tout nous vient de Dieu, païenne!

Dieu lissa sa barbe et sourit à son ange figé, la main qui tenait la plume suspendue en l'air comme un point d'exclamation.

— Nous y voilà, dit-Il.

— Mais c'est bien ce que je dis. L'Innommable, c'est Dieu.

— Si ton Innommable s'appelle Dieu, c'est donc qu'il n'est pas innommable. Ce qui tend à démontrer que ta perception...

— Rien du tout, vieux caillou!

— Caillou peut-être, mais je n'ai pas de concrétions, moi!

— Tout commence avec le Verbe!

— Il se conjugue à quel temps, ton verbe?

— Poufiasse érodée!

— Côté usure, tu ne t'es pas regardé, distingué débris!

— C'est sénile, ça tourne en sable!

— Ça s'effrite au moindre vent et ça veut donner des leçons de permanence.

Dieu s'amusait franchement. L'ange avait l'air affolé. Max, étourdi, se sentait envahi par le sommeil.

Alors le sol se mit à trembler et une voix qu'accompagnaient des crépitements sinistres gronda au-dessus de toutes les autres.

— Vos gueules, bandes de gravillons sans envergure! Vous n'avez rien compris.

Max crut que le sol allait s'ouvrir sous ses pieds. Il perdit l'équilibre et se retrouva sur son séant.

— Au commencement, tonna la voix, il y avait l'atome. Et l'atome était énergie. Et l'énergie n'en pouvait plus de se contenir. Alors elle s'affranchit de sa prison. Et l'univers naquit dans une explosion gigantesque.

Il y eut un grondement sourd et Max sentit sous ses fesses la terre entrer en convulsions.

— Arrête ton cirque, l'uranium! hurla une voix exaspérée.

Les tremblements s'amenuisèrent.

— Jamais moyen de discuter avec ce fichu caillou!

— Parce qu'il est radioactif, il se croit tout permis.

— Vivement la fin de sa demi-vie qu'il se transforme en plomb!

— On aura au moins la paix!

— S'il ne fiche pas tout en l'air avant.

— Je n'y serai pour rien, fit la voix puissante d'un ton moins péremptoire que n'accompagnaient plus que de simples trémulations. Ce n'est pas ma faute si les hommes ont trouvé moyen de libérer ma puissance.

— Si tu avais seulement pu te retenir de caqueter en leur présence, on en serait encore à l'âge du fer, du bronze ou du cuivre. Et on ne s'en porterait que mieux.

— D'abord, reprit l'uranium, c'est dans ma nature d'irradier. On ne se refait pas. Et puis, je vous ferai remarquer que je n'ai de leçons à recevoir de personne et que je ne possède pas le monopole en matière de catastrophes. Les glaives étaient en bronze, les boulets de canon, en fer, et les balles de fusil, en cuivre, à ce que je sache.

— Peut-être bien, fit un gros menhir qui avait de la peine à conserver son calme. Mais nous au moins, nous ne risquons pas de faire éclater notre mère.

— Sans doute, mais il y a d'autres moyens pour la tuer. Toi, la houille, heureusement que tu passes de mode, parce qu'on était bien mal parti avec tes émanations qui obscurcissent le soleil et transforment le jour en nuit.

— Quel culot, répliqua un énorme quartier d'anthracite qui luisait de reflets sombres. Ton aplomb m'émerveille. Tu sais très bien que si les hommes ne m'avaient pas découvert des qualités de combustible, je serais demeuré au sous-sol à fossiliser tranquillement mes mollusques et mes crustacés.

— Il a raison, dit une malachite diaprée, ce sont les hommes, les coupables. Ils nous recueillent, nous triturent, nous allient, nous mélangent. Ils nous fondent, nous brûlent, nous coulent, nous façonnent et nous moulent en objets de mort. Nous,

nous n'avons rien à nous reprocher. Nous sommes ce que nous sommes et nous sommes impuissantes devant les transformations qu'on nous fait subir.

Max avait peine à suivre la discussion que ponctuaient de vifs éclats de lumière à droite et à gauche. Dès qu'il fut question des hommes, il ne put s'empêcher d'éprouver un malaise, comme si des dizaines de regards réprobateurs s'étaient soudain posés sur lui.

— Toi, Max, n'es-tu pas un homme? fit une voix.

Il y eut un silence lourd, chargé d'attente. Les pierres brillaient faiblement, mais Max décelait dans ces pulsations apparemment tranquilles autant de signes d'un éclatement imminent.

— Laissez-le tranquille. Ce n'est encore qu'un petit garçon, dit une pierre de lune.

— C'est du pareil au même! Les petits garçons sont de la graine d'homme; mieux vaut écraser ses œufs que lutter contre le serpent, lança le minerai radioactif.

La terre soubresauta et Max se sentit ballotté comme une vulgaire feuille morte.

— Mais il n'est pour rien dans tout ce qui s'est passé depuis la nuit des temps, reprit la pierre de lune. Il cherche le sens de la vie.

— Justement! Méfions-nous des chercheurs. Ils fouinent partout jusqu'à ce qu'ils trouvent quelque chose. Et lorsqu'ils ont trouvé, ils n'ont de cesse qu'ils ne réussissent à le détruire. Je sais de quoi je parle.

Des murmures parcoururent la clairière. Dans l'air flottait une odeur d'orage. Max cherla lentement à se remettre sur ses pieds. Une brusque secousse l'en empêcha et il retomba de tout son long dans la mousse qui lui parut brûlante.

— Arrête de t'agiter, l'uranium, tu veux nous desceller toutes.

— C'est qu'il veut s'enfuir, ce garçon!

— Alors laisse-le partir.

— Pas question! Trop dangereux. Qui sait ce qu'il deviendra, une fois grand.

— Il y a effectivement un risque, ajouta un petit jade, sentencieusement.

— Tuons-le!

— Lapidons-le!

Les voix se mêlaient les unes aux autres en un tumulte croissant et les faisceaux de lumière colorée surgissaient de partout comme des flèches enflammées jaillies de tranchées.

— Oui, c'est ça, lapidons-le!

Max, secoué comme un vieil oreiller, se couvrit la tête de ses bras. Il allait mourir broyé sous les rochers et son corps ne serait plus qu'une pulpe rosée que la première pluie ferait disparaître dans les crevasses du sol. En un éclair, le visage de Clara lui apparut et Max éprouva tout à coup une envie de se recroqueviller sur lui-même comme lorsque, petit, il s'enfouissait sous les couvertures au premier grondement du tonnerre, en attendant que l'orage passe.

L'ange avait l'air affolé.

— Elles vont le tuer, c'est certain!

— Cela m'étonnerait, dit Dieu, qui n'avait pas perdu son sourire.

Et l'ange put constater une fois de plus que les voies de son Maître étaient impénétrables.

Brusquement, quelque chose se produisit. Max n'aurait pu dire, à travers le concert d'invectives, si c'était une odeur, un frôlement ou encore un son. Pour sûr, il s'agissait d'une sorte d'épaississement de l'atmosphère. Les roches l'avaient sans doute perçu elles aussi. Leurs luisances faiblirent. Leurs imprécations se firent moins violentes et la terre elle-même parut se détendre.

C'était un son nouveau. Un son particulier qui n'excitait pas seulement l'oreille mais éveillait en même temps tous les sens. Un son dont Max pouvait voir les oscillations, sentir les effluves, goûter la saveur; une vibration enveloppante qui s'approchait et dont il percevait à présent toutes les inflexions avec chaque poil de son corps.

La musique évoquait le souvenir de La Linotte. La Linotte qui jouait de la flûte pour calmer ses chèvres ou simplement pour se donner du plaisir. Mais les airs qu'il inventait paraissaient aigrelets et sans substance à côté de la mélodie qui s'enroulait maintenant autour de chaque arbre, de chaque touffe d'herbe, de chaque pierre, comme si la nature tout entière eût participé à son élaboration.

Non, il ne s'agissait pas d'une flûte. N'était-ce pas plutôt cet instrument dont avait parlé Godefroy: le sangloteur qui, à l'en croire, vous transportait jusqu'aux portes du ciel? Max s'attendait à entendre d'un instant à l'autre le rire bref et douloureux du vieux voyageur. Et il surgirait de quelque part, le visage hilare, ravi de sa mise en scène élaborée.

Elle allait droit au ventre, cette musique, sans passer par le cerveau; elle invitait tout à la fois au rire et aux larmes, elle réveillait l'espoir, éliminait l'angoisse, soulevait d'immenses vagues de tendresse qui annihilaient toute trace de colère ou de ressentiment. Elle effaçait la peur.

Max tenta une fois de plus de se relever. Il sentait ses genoux flageoler en même temps qu'il éprouvait une irrésistible envie de s'appuyer contre cette mélodie, pour ainsi dire, comme un bébé repu s'abandonne contre le sein de sa mère et se laisse bercer par les battements de son cœur. On pouvait faire confiance à cette musique-là. Pour la première fois, Max connaissait la tentation du néant.

L'incantation décrût et cessa tout à fait. Mais Max demeurait en état de ravissement, perdu dans une rêverie souriante. Tout près de lui, il entendit un froissement de tissu. Il tourna la tête, sans angoisse ni curiosité, comme s'il attendait quelqu'un.

Et subitement, il se crut ramené des siècles en arrière, à une époque où l'univers connu se limitait encore à une petite maison sise à proximité d'une rivière qu'on appelait la Sonatine et dans laquelle il vivait avec son père, sa mère, l'ombre de son grand-père et un lézard nommé Torticolis.

Le personnage qui se tenait devant Max lui rappelait Torticolis comme un cheval rappelle un âne. Mais la ressemblance s'arrêtait là.

Dressé sur ses pattes postérieures, le nouveau venu mesurait plus de quatre mètres de haut. Il portait une ample tunique d'une grisaille indécise d'où émergeait une tête allongée recouverte d'écailles qui luisaient de reflets vert-de-gris. Plantées sur le sommet du crâne, deux rangées de plaques cornées formaient une crête qui saillait à travers des fentes pratiquées dans le vêtement le long du dos jusqu'au bout d'une longue queue dont la pointe délicate s'agitait sans cesse.

Bien que d'apparence franchement reptilienne, la physionomie de la créature avait quelque chose d'humain; elle n'affichait pas cette rigidité d'humeur caractéristique des lézards et qui leur a valu une réputation d'insensibilité. Ses yeux gris exprimaient une intelligence, voire une douceur, que Max n'avait jamais perçues — en dépit de l'attachement qu'il lui vouait — dans le regard monté sur tourelles de Torticolis.

— Je constate que tu as fait la connaissance de mon troupeau, dit le nouveau venu d'une voix rude mais bienveillante.

Le visage tout entier paraissait sourire.

Max n'éprouvait plus aucune crainte, comme s'il avait épuisé toutes ses peurs à s'effrayer de Pavoni et des roches menaçantes. En outre, l'écho de la musique s'attardait dans sa tête et ses effets lénifiants se faisaient toujours sentir dans ses membres.

— J'ai plusieurs noms, mais tu peux m'appeler Gabou. Je suis le gardien de ces roches.

— Moi, c'est Max.

— Je sais.

— Ah bon!

— Ce que mes roches connaissent, je le connais aussi. C'est l'avantage de la cohabitation. Nous partageons tout. Mais comme je peux me déplacer, j'en sais un peu plus long qu'elles sur un certain nombre de choses.

Gabou tenait dans ses pattes antérieures un tube de bambou qu'il déposa dans une besace pendue à son flanc.

— C'est vous qui jouiez de la flûte? demanda Max.

— Oui, mais ce n'est pas une flûte. C'est un pétrafère. Je l'ai inventé tout à fait par hasard un jour que je n'en pouvais plus d'entendre mon troupeau se quereller. On a beau être patient, il y a des moments où les nerfs ne le supportent plus. Alors j'ai eu l'idée de les apaiser avec ça. Je ne sais pas très bien moi-même comment il fonctionne. La vie est pleine de ces petits mystères, c'est sans doute ce qui fait son charme. Je pense que les vibrations du pétrafère ont pour effet de charmer les minéraux solides. Heureusement que nous sommes, toi et moi, composés en grande partie d'eau parce que nous serions, à l'heure qu'il est, en train de flotter au paradis des pierres.

— Je me sens tout à fait bien, j'ai un peu le sentiment de planer, dit Max.

— Évidemment, dit Gabou. Le pétrafère a plongé la partie minérale de ton corps dans une sorte d'extase. Le zinc, le fer, le calcium de tes os et toutes les infinitésimales particules métalliques de ton organisme baignent présentement dans l'euphorie. Mais cela ne dure pas. Heureusement — ou hélas — c'est selon.

Gabou se dirigea d'un pas tranquille vers un arbre creux, plongea la main dans l'ouverture et en sortit un râteau aux longues dents recourbées. Puis il pénétra dans le cercle de gravier.

— Ne t'offusque pas si je travaille tout en causant, mais je dois profiter du sommeil de mon troupeau pour faire la toilette du jardin. Mes roches sont délicates et capricieuses. Elles ne tolèrent aucun végétal sur leur territoire. En fait, elles ne tolèrent pas grand-chose, comme tu as pu le constater. Mais peut-on leur en vouloir, à leur âge?

— Mais elles voulaient me lapider, dit Max, peu enclin à l'indulgence.

— Elles n'aiment pas beaucoup les hommes. Mais peut-on aimer ce qu'on ne connaît pas? Tu es le premier qu'elles rencontrent. Tout ce qu'elles savent de toi et des tiens, elles le tiennent du vent et des oiseaux qui sont des sources, entre nous, bien peu fiables. Mais, sans vouloir te faire de reproches, elles n'ont pas entièrement tort. Vous autres, les humains, vous avez parfois de ces comportements qui laissent songeurs. On dirait que vous éprouvez du plaisir à détruire ce qui vous entoure, sans parler de votre propension — naturelle à ce qu'il semble — à vous détruire entre vous.

Gabou avait parlé d'une voix tranquille, sans cesser de parcourir en tous sens la surface du cercle, contournant chaque monolithe, traînant derrière lui le râteau dont les dents effaçaient les traces de ses pas et de sa queue, traçant dans le gravier de fins sillons parallèles comme une fourchette sur le glacis d'un gâteau.

Mais Max avait reçu ses paroles comme un reproche. En dépit de l'état de bien-être dans lequel l'avait plongé la musique, elles évoquaient le souvenir amer des habitants de Privilège-sur-Sonatine qui s'étaient délectés des cruautés de Pavoni, et bien qu'il n'eût rien à se reprocher, il n'en éprouvait pas moins une sourde honte à l'idée d'être, lui aussi, un humain. Sa haine à l'égard du gros maître de piste ne confirmait-elle pas le jugement de Gabou sur sa race? N'avait-il pas souhaité sa mort? N'avait-il pas partagé le vœu de Clara qui rêvait de le transformer en crapaud et de lui arracher les yeux?

Il frissonna comme si son corps avait voulu chasser, d'un simple frémissement, un mauvais sentiment.

— Mais vous, finit-il par dire autant pour se donner une contenance que pour satisfaire sa curiosité, est-ce que vous... enfin... vous-même, vous êtes...

Gabou s'arrêta et le regarda avec condescen-

dance, comme s'il savourait son trouble. Il le laissa
chercher ses mots durant quelques secondes, et devant ses hésitations, il lui tendit une perche cha-
ritable.

— Tu veux savoir si je suis un homme ou une
bête mais tu n'oses pas dire le mot?

— Oui, dit Max en se mordant légèrement la
lèvre.

— Il ne faut pas avoir peur des mots. Où serions-
nous sans eux? Alors voilà: je ne suis pas un homme,
ce qui fait de moi une bête dans la mesure où tout
ce qui n'est pas humain est bête. Mais si, dans ton
vocabulaire, je suis un animal, je ne suis pas pour
autant bête. Tu me suis?

— Je n'en suis pas certain, dit Max dont l'esprit
fonctionnait encore au ralenti, impuissant à démêler
cet écheveau verbal.

Gabou ouvrit une bouche démesurée en un
grand rire muet, ce qui eut pour effet de faire naître
deux petites larmes au coin de ses yeux.

— Ça ne m'étonne pas. J'ai fait exprès de t'em-
bêter. La vérité, c'est que je suis ce que vous appe-
lez, vous autres, un animal. Mais à l'époque où j'ai
brisé ma coquille pour sortir de mon œuf, l'homme
ne faisait pas encore partie du paysage. Ce sont
ceux de ma race qui dominaient la terre.

— Ah! Et vous êtes de quelle race?

— Mais voyons, Max. Il me semble que cela se
voit. Je suis un dinosaure.

Max ouvrit de grands yeux ronds. La musique
lui avait sans doute fait un plus grand effet qu'il
n'eût cru. Voilà que son esprit feuilletait à toute vitesse des livres d'images dans lesquels, page après

page, apparaissaient des bêtes gigantesques aux mâchoires terrifiantes garnies de dents aiguës.

— Mais les dinosaures n'existent plus. Il ont disparu depuis...

Gabou haussa les épaules.

— Depuis des millions d'années, je sais. Ah! C'était le bon temps. Celui des volcans et des glaciers. La vie n'était pas simple à cause des mouvements tectoniques et des crevasses qui s'ouvraient sous nos pas sans crier gare. Mais ça laisse quand même de bons souvenirs.

Il soupira et le bruit de l'air libéré à travers ses naseaux rendit un son caverneux.

— Mais si les dinosaures ont disparu... comment...

— Comment se fait-il que je sois là? compléta Gabou. C'est une question que je me pose moi-même depuis quelques centaines de milliers d'années et j'avoue bien humblement qu'aucune réponse ne m'a vraiment paru satisfaisante. Je pense que c'est à cause de mes roches. Elles ont besoin de moi, tu comprends. Si je n'étais pas là, comment se défendraient-elles contre les invasions végétales? Les lécanores, les rocelles, les usnées et autres parmélies n'ont de joli que leurs noms; ce sont des menaces permanentes qu'il faut constamment battre en brèche. Sans parler des fientes d'oiseaux qui les rongeraient si je ne les nettoyais. En outre, elles sont très vieilles, beaucoup plus que moi puisqu'elles ont connu la fameuse nuit des temps et la naissance du monde. En fait, elles sont nées de lui et avec lui. Alors, tu comprends, elles estiment que l'univers leur appartient.

— C'est pour ça qu'elles ont voulu me lapider, dit Max en faisant une grosse moue.

— Rassure-toi, tu ne risquais rien. Elles n'ont ni bras ni jambes pour mettre leurs menaces à exécution. Mais je t'accorde que leur discours peut faire une certaine impression.

Gabou avait posé sa grosse patte sur un quartier d'amiante dont il lissait les fibres d'un geste amoureux.

— Mais sous leur extérieur massif, elles sont toute tendresse, tu sais. Je ne me suis jamais senti vieillir avec elles. Je dois dire aussi que je n'ai pas très envie de disparaître. Peut-être suffit-il d'aimer la vie pour que celle-ci s'accroche à vous? La vie s'arrête lorsqu'on s'en lasse, je crois. Et moi, au contraire de tous ceux de ma race, je ne m'en suis jamais lassé. Ce qui fait que je suis le dernier des dinosaures; c'est quand même quelque chose, ça.

— Ho, Gabou! Il y a des spores de champignons à mes pieds!

Gabou releva la tête en direction des roches. Un bloc de stéatite émettait des pulsations rapides comme sous l'effet d'une grande panique. Le dernier des dinosaures fouilla dans sa besace et en ressortit le pétrafère.

— Dors, ma vieille. Ce sont des grains de sable, je viens de faire le tour du jardin et tout est en ordre. Tu peux rêver tranquille.

D'instinct, Max se boucha les oreilles. Il voulait garder la tête froide. Il vit Gabou porter l'instrument à ses lèvres resserrées en forme de cœur et suivit les gestes du dinosaure qui ferma les yeux et parut un instant transporté dans un autre monde. Puis le pétrafère réintégra la besace et Gabou reprit la parole.

— Il leur faut parfois un petit supplément de bonheur. Elles seront plus calmes à leur réveil. Où en étions-nous?

— Vous prétendiez être le dernier de votre race.

— Je ne prétends rien du tout, je sais. Je suis le dernier. Ça donne à réfléchir de savoir qu'après soi il n'y aura plus rien.

Dieu avait l'air songeur. L'ange, toujours rempli de sollicitude, s'en inquiéta.

— Il a raison, dit Dieu, quand je pense qu'il n'y aura pas d'après Moi, cela Me donne parfois le vertige.

— Mais pourquoi, dit Max, les autres ont-ils disparu?

Gabou s'approcha du garçon et s'installa à califourchon sur un tronc pourri. Son air amusé avait fait place à une sérénité nostalgique.

— Ils sont morts d'ennui, je pense. De désœuvrement, de désenchantement, de pure lassitude. Un jour, ils se sont sentis inutiles dans ce monde qui ne leur refusait rien. Nous étions des millions, tous différents mais, en vérité, tous pareils puisque, en dépit de nos tailles et de nos habitudes diverses, nous étions issus des mêmes œufs et que nous foulions le même sol. En ce temps-là, la terre était beaucoup plus généreuse qu'aujourd'hui. En vieillissant, on dirait qu'elle s'est assagie. Ou peut-être s'est-elle épuisée, qui sait? Il fallait voir, dans le temps, les fougères hautes comme des arbres, les fleurs larges comme des étangs et les lacs tellement remplis de poissons que leurs eaux bouillonnaient même par temps calme. La nature délirait et la vie n'hésitait devant rien pour manifester son exubérance. Et nous, ceux de ma race, en étions les plus beaux fleurons.

Gabou fixait un point devant lui, mais son regard voyait bien au-delà de ce point; il perçait la barrière du temps, remontait bien plus loin que l'histoire, à une époque qu'il était seul à connaître. Max n'osait pas interrompre son recueillement, qui avait quelque chose de mystique. Puis au bout d'un long silence, Gabou reprit d'une voix très basse, comme s'il se parlait à lui-même:

— Nous ne faisions rien que manger et dormir. Les plus gros n'avaient pas le choix; ils passaient le plus clair de leur temps à sustenter leurs corps immenses. Les plus petits, une fois leur appétit satisfait, devaient imaginer des ruses chaque jour plus compliquées pour éviter de figurer au menu des premiers. À quoi bon passer sa vie à la sauvegarder si on ne peut rien faire d'autre avec? Alors, une grande morosité s'est abattue sur nous. À part quelques illuminés qui apprirent à voler et devinrent des oiseaux, la plupart succomba à la monotonie de l'existence. Certains cessèrent de se nourrir par manque d'intérêt, lassés de tant d'abondance. D'aucuns, désabusés, se laissèrent dévorer. Les uns comme les autres abandonnaient leurs œufs sans soins quand ils ne refusaient pas carrément de pondre et, au bout de quelques siècles, nous n'existions plus que dans la mémoire de nos linceuls de boue.

— Mais vous, Gabou, vous êtes toujours là?

— Moi, j'ai eu de la chance. Je ne m'ennuyais

pas. Au sortir de mon œuf, j'ai vu une grosse roche
que j'ai prise pour ma mère. Et cette erreur — toute
saurienne et bien pardonnable parce que, après
tout, quand on brise sa coquille, on ignore tout de
la vie — a déterminé le reste de mon existence.
J'étais plus à mon aise parmi les cailloux qu'au
milieu des brontosaures et des autres diplodocus.
Leur tristesse me faisait de la peine et il m'était insupportable de les voir mourir les uns après les
autres, s'abandonner sans lutte aux maladies ou
plonger délibérément dans quelque fosse remplie
de bitume. Leur conversation n'avait rien de réjouis-
sant. Ils ne riaient plus et plus rien ne trouvait grâce
à leurs yeux. Ils en étaient venus à détester la vie
qui devint l'enjeu même de leurs divertissements. Ils
se battaient, se tendaient, pour le plaisir, des em-
bûches mortelles, s'inventaient des jeux sinistres qui
s'achevaient en hécatombes.

— Pavoni, dit Max submergé à nouveau par un
flot de souvenirs.

— Hein? fit Gabou, comme s'il émergeait d'un
songe.

— Rien, reprit Max, quelqu'un que j'ai connu
qui n'aimait pas la vie.

— Ah bon! dit Gabou.

Puis, fermant les yeux à demi, il poursuivit:

— Petit à petit, j'ai pris mes distances. Je me suis
enfoncé dans la forêt où j'ai rassemblé ce troupeau
pour qui j'ai aménagé ce jardin. Depuis, je m'occupe d'elles, je les bichonne, je les polis, je fais la
guerre aux végétaux. C'est un combat éternel. Si on
les laissait faire, les plantes auraient tôt fait d'envahir la planète, et comme les pierres ne peuvent pas

se défendre, elles disparaîtraient sous les lichens et les mousses.

— Et vous faites cela depuis des millions d'années?

— Tu n'as pas idée comme le temps passe vite quand on est occupé. C'est qu'elles sont terriblement exigeantes, ces petites. Je n'ai pratiquement pas une minute à moi.

— Mais quand même, dit Max incrédule, des millions d'années...

— Cela paraît incroyable, je le sais bien. J'ai parfois moi-même beaucoup de difficulté à me persuader que tout ceci n'est pas le fruit d'une hallucination. De leur vivant, mes congénères me reprochaient de consacrer ma vie à ces trivialités. Qu'une créature que tout donnait pour maîtresse de l'univers pût s'intéresser à de vulgaires cailloux leur paraissait non seulement indigne de son rang mais stupide. À leurs yeux, j'étais fou. Peut-être n'avaient-ils pas tort. Vous-mêmes, les hommes, ne dites-vous pas des vôtres qui jouissent tranquillement de leurs petits bonheurs qu'ils sont des têtes heureuses? Pour qui s'agite en vaines activités ou, pire, pour qui ne croit plus en sa propre utilité, je pense que le bien-être, la jouissance, la tranquillité et la paix qu'il observe chez les autres sont autant d'insultes à son désespoir. Est-ce que je sais? Il reste que moi, j'existe, je vis, je mange, je parle, j'agis et que eux, mes anciens juges, se sont fossilisés. Je médite souvent là-dessus.

À mesure que Gabou parlait, Max sentait croître en lui un inexplicable trouble. Ce que le dernier des dinosaures disait de ses semblables disparus éveillait en lui un doute effrayant. Il avait eu raison

de quitter son village, cela ne faisait plus de doute.
En revanche, une partie de lui-même se rebellait à
l'idée qu'il était parvenu au bout de son voyage.
Quoi faire à présent? Déposer son baluchon et créer
à son tour un jardin de pierres dont il aurait à supporter pendant les siècles à venir les querelles
oiseuses? Il s'imaginait mal confiné à cette clairière,
scrutant chaque roche pour en éliminer les mousses
envahissantes et les fientes d'oiseaux. Se pouvait-il
que sa quête s'arrêtât là, qu'il fût condamné à une
vie d'abnégation, toute entière consacrée au service
de vulgaires cailloux? Cette pensée le faisait frémir.
Décidément, il n'avait pas la vocation.

Il regarda l'intérieur de sa main. Si seulement il
avait possédé les dons de Mme Hermanina! Il saurait
tout de suite. C'était inscrit là, dans sa paume, dans
cet enchevêtrement de lignes claires pour qui savait
les lire. Mais lui, Max, avec sa tête bourrée d'interrogations et sa poitrine que les incertitudes oppres-
saient au point de la rendre douloureuse, n'y voyait
qu'une carte muette dont les chemins entrecroisés
conservaient jalousement leurs secrets.

— Ah! j'ai bien dormi, fit une voix.

Max se tourna vers les roches. De faibles clartés
animaient la base des pierres.

— Gabou! Je pense qu'une graine s'est logée
dans une de mes fissures et cherche à prendre
racine.

— Gabou, j'aurais bien besoin d'un coup de
chiffon. J'ai perdu un peu de mon éclat cette nuit.

Gabou leva les yeux au ciel.

— Les effets du pétrafère ne durent jamais longtemps, dit-il en soupirant.

— À qui parles-tu, Gabou? fit une voix rocailleuse qu'un sommeil à peine dissipé rendait traînante.

— À Max.

— Max? Nous avons une nouvelle compagne?

— C'est toujours pareil, dit Gabou. Après une séance d'extase, elles perdent la mémoire des événements récents. Mais je ne crois pas que tu t'en plaindras.

Max acquiesça. L'hostilité des roches l'avait perturbé et il ne souhaitait pas revivre l'expérience des tremblements de terre.

— Viens vite, Gabou! Il y a un mille-pattes qui me court dessus. Ça chatouille.

Max se sentait de trop. Il demeurait en bordure du cercle de gravier, les bras ballants, pendant que Gabou se déplaçait entre les quartiers de roc, gratifiant l'un d'un coup de plumeau, effleurant l'autre du dos de sa patte avec une douceur que sa lourde masse ne laissait pas soupçonner.

— C'est un travail à plein temps, dit-il. Heureusement que j'ai le pétrafère qui me permet de faire relâche de temps en temps. C'est qu'elles m'épuiseraient, les coquines.

— Est-ce qu'il va rester avec nous, celui-là? demanda une améthyste.

Gabou jeta un œil du côté du garçon qui regardait la pointe de ses souliers. Il revint vers lui. L'inquiétude se lisait sur le visage sombre de Max, dont le front se barrait d'un pli profond. Comment dire à ce moment ce qu'il éprouvait au milieu de ces pierres à qui la mémoire reviendrait certainement et qui ne manqueraient pas de lui faire porter, une fois

encore, tous les péchés de l'univers? Bien sûr, elles
ne pouvaient rien contre lui, mais les mots et la
haine font parfois aussi mal que les coups.

Et puis même si Gabou s'était montré jusqu'à
présent d'une extrême gentillesse, Max se doutait
bien qu'il ne pourrait pas compter sur lui. Il n'y
avait qu'à voir l'empressement que le vieux dinosaure mettait à satisfaire les caprices de ses pupilles
pour imaginer de quel côté son cœur pencherait si
jamais il devait choisir son camp. Mais au-delà de
cette constatation — peut-être même à cause d'elle
—, Max se sentait coincé au fond d'une impasse.

— Gabou!

— Un peu de calme, fillettes, dit Gabou en
soupirant.

Il regardait Max, et ce dernier eut l'impression
que le gros animal devinait le trouble qui l'habitait.

— Tu sais, Max, il n'y a pas que les pierres dans
la vie, dit enfin Gabou. Moi, j'ai choisi l'état de ber-
ger par accident. Je le dois sans doute à celle que
j'ai prise un temps pour ma mère. J'aurais pu tout
aussi bien faire comme ces autres qui ont préféré
troquer leurs écailles contre des plumes, mais je
n'avais aucun goût pour le vol. Je suis un dinosaure, et ce qui sied à un saurien ne convient pas
aux hommes. Ta voie est ailleurs, Max. Il n'y a pas
de honte à être ce que tu es, quoi que prétendent
mes protégées. Continue ton voyage, c'est ce que tu
as de mieux à faire.

— Mais je ne sais pas où aller, dit Max au bord
des larmes.

— À qui parles-tu, Gabou? fit une voix impatiente.

— Minute, travertin! lança Gabou avec une pointe d'exaspération.

Puis il sourit de nouveau à Max.

— J'ai envie de te faire un cadeau.

Max leva un œil humide.

— Un cadeau?

— Pourquoi pas. On ne vit pas des millions d'années sans recueillir certaines connaissances, et à part les acquérir, je ne connais pas de plus grand plaisir au monde que de les partager. Ce n'est pas une occasion qui se présente souvent, dans mon cas. Autant en profiter. Écoute bien. Si j'étais à ta place, je me dirigerais vers la mer.

— Vers la mer?

— C'est la source originelle de la vie. Suis le premier ruisseau jusqu'à l'océan. Tu ne peux pas te tromper, ils finissent tous par y mener. Et puis, si tu ne trouves rien de ce côté, au moins cela te fera voir du pays.

Max réfléchit. La mer. Il en avait parfois rêvé, comme de bien d'autres choses. Mais l'idée de s'y rendre ne l'avait même pas effleuré. Après tout, il n'avait rien à perdre. Au point où il en était, il pouvait bien courir ce risque.

— Gaaaaabou!

— Oh, et puis zut! fit le dinosaure, excédé.

Le pétrafère jaillit de la besace et, une à une, les lueurs irritées s'éteignirent dans la clairière qui reprit l'apparence inoffensive d'un champ de roches comme on en voit partout en bordure des montagnes.

Max avait profité de l'engourdissement des pierres pour s'offrir, à son tour, un petit somme. À son réveil, il avait la peau moite et un goût épais de mauvais sommeil épaississait sa langue.

— Tu as fait de bien vilains rêves, avait dit Gabou, qui était demeuré assis près de lui.

Max avait plissé le front. Des images floues de roches gigantesques, toutes ornées de moustaches en croc, achevaient de s'effilocher dans sa mémoire, comme si, pris de court et de peur de trahir sa nature profonde, son esprit s'efforçait d'effacer au plus vite toute trace de ses fantaisies nocturnes.

Max n'avait pas insisté, trop occupé à secouer de ses membres l'ankylose qui les avait envahis après sa course éperdue en forêt et le branle-bas qui l'avait suivie. Non sans une certaine inquiétude, il avait posé son regard sur les pierres; elles étaient toujours sous le charme de l'extase engendrée par le pétrafère, et c'est à peine si on devinait quelques paisibles lueurs, mouvantes comme des respirations, de moins en moins perceptibles à mesure que le ciel s'éclairait d'une aube sans éclat.

— Elles ne sont pas près de se réveiller, avait dit Gabou, je crains d'avoir un peu forcé la dose.

— Je crois que je vais partir à présent, avait répondu Max.

— Cela vaut mieux, en effet, avait dit Gabou. Tiens, prends cela.

Il avait tendu à Max un petit paquet enveloppé de feuilles sèches.

— C'est un en-cas, une pâtée que j'ai faite ce matin avec des insectes, des vers et diverses racines.

Des étincelles de gourmandise s'étaient allumées dans les yeux du dinosaure. Max avait réprimé à grand-peine un frisson de dégoût et fourré rapidement le paquet dans sa poche en disant qu'il le dégusterait plus tard, que pour l'heure, il n'avait pas faim. Pourtant, son estomac borborygmait et ses membres frémissaient du froid qui annonce la famine.

Gabou n'avait pas été dupe. Il avait souri avec la bonté de celui qui a tout compris.

— Tu as raison, Max. Nous sommes trop différents l'un de l'autre. Ma nourriture ne te convient pas. Tu mourrais de faim ici. Adieu, je suivrai tes progrès grâce aux oiseaux.

Il lui avait indiqué le ruisseau le plus proche en l'assurant qu'il n'aurait aucune peine à rejoindre la mer pour peu qu'il en suivît le cours.

— Il se pourrait qu'une fois sur place tu rencontres un singulier personnage. Il s'appelle l'Esclave enchaîné. Ne te laisse pas impressionner par sa taille. La rumeur veut qu'en dépit de ses airs de matamore ce soit un doux, une espèce de toqué.

De toutes manières, ce n'est peut-être qu'une légende. On ne peut pas toujours se fier aux cancans des oiseaux.

L'ange constata qu'à la mention de l'Esclave enchaîné, Dieu avait paru contrarié. Un pli avait barré son auguste front, mais si rapidement que l'ange s'était cru victime d'une illusion, ce qui lui arrivait parfois.

Max s'en était allé, un peu triste malgré tout, mais le babil du ruisseau et un copieux repas de bolets cueillis au pied d'un arbre eurent tôt fait de dissiper son vague à l'âme.

Il mit à peine quelques heures pour traverser la forêt d'un bon pas de routier. Le trajet ne présentait aucune difficulté. Les berges du ruisseau étaient assez dégagées pour qu'on pût y circuler sans effort. Max ressentait encore aux jambes quelques tiraillements dus à sa course de la veille, mais au bout d'un moment, il n'y pensait déjà plus, pas plus qu'il ne songeait à Pavoni. Seul le souvenir de Clara assombrissait parfois son front et faisait surgir en lui des bouffées d'une tendresse inquiète. Elle avait eu raison d'insister pour qu'il ne la prît pas avec lui. Comment aurait-il pu courir, la nuit d'avant, alourdi d'un tel fardeau? Aurait-elle consenti à se rendre à la mer? N'était-elle pas comme Gabou, tellement différente de lui que rien, hormis la compassion, ne pouvait les réunir? Et la compassion n'était-elle pas un sentiment à sens unique? Non, il valait mieux qu'il en fût ainsi.

La forêt cessait brusquement, comme tranchée au couteau pour laisser place à des champs dans lesquels le ruisseau, profitant de l'espace et du sol meuble, s'était creusé un lit plus large pour devenir rivière. Son cours sinueux n'était pas sans rappeler, en moins capricieux, celui de la Sonatine, et c'est tout naturellement que Max laissa son esprit vagabonder le long des berges sablonneuses de cette dernière.

Il était tout nu, assis dans le sable doux, les fesses dans l'eau, à faire flotter des coquilles de moules vides qui persistaient à couler après quelques secondes. Il était seul. Il était toujours seul. Quelques enfants plus vieux plongeaient à proximité, s'éclaboussant d'eau et de rires. On entendait au loin la flûte du garde-biques, mélancolique.

Max conservait de La Linotte un vif souvenir alors qu'il n'évoquait qu'à grand-peine l'image de ses parents, comme si ces derniers n'eussent été que des ombres dans une vie antérieure. Il revoyait les traits du muet avec une netteté qui l'étonnait lui-même: son long visage un peu triste qu'une barbe de quelques jours rendait plus triste encore, ses petits yeux noirs qu'on devinait à l'affût sous le bord rabattu d'un vieux feutre maculé de taches grasses, ses doigts maigres, toujours en mouvements, et sa bouche garnie de chicots noirs d'où ne sortaient que des bruits de gorge.

Parfois, il allait s'asseoir auprès de La Linotte pour l'écouter improviser ses airs de flûte. Dans ces moments-là, les questions qui assaillaient Max à tout propos lui donnaient un peu de répit et il se sentait l'âme en paix.

Mais cela ne durait guère. Une chèvre tentait toujours de prendre le large et le bonhomme devait abandonner sa flûte pour se lancer à la poursuite de l'évadée en proférant des sons qui exprimaient, dans son langage à lui, les pires menaces. Et Max rentrait chez lui.

Chez lui. Une vague maison. Sur le porche, un vieillard endormi dans une berceuse, la tête sur la poitrine. À ses pieds, un chat, tout aussi vieux, tout aussi endormi. À l'intérieur, des spectres. Celui de sa mère dans la cuisine et plus loin, au bout de la table ou près d'une fenêtre, un autre fantôme occupé à quelque activité indéterminée. Son père.

Max n'éprouvait ni joie ni haine devant ces tableaux fugaces. Pas même la nostalgie qu'on ressent à revoir, après une longue absence, un lieu familier, comme si on n'y avait jamais été que de passage. Il revoyait la table de bois grossière aux planches inégales, le vaisselier où s'alignaient des assiettes de porcelaine blanche ornées en bleu de scènes champêtres, les rideaux fleuris aux fenêtres contre lesquelles se cognaient les mouches, le gros poêle de fonte où mijotait la soupe du midi, l'escalier de bois qui montait vers le grenier.

Il grimpait les marches creusées par l'usure, entrait dans une chambre, la sienne. Un lit recouvert d'une couverture piquée, une commode, une chaise qui disparaissait sous une pile de vêtements en désordre et, posé sur le rebord de l'unique fenêtre, le vivarium de Torticolis le lézard qui regardait immobile, au-delà des murs transparents de sa prison, les fantasques méandres de la Sonatine, paresseuse, alanguie, miroitant comme un collier précieux dans la vitrine d'un joaillier.

Quelques gouttelettes d'eau sur son nez ramenèrent Max à la réalité de cette nouvelle rivière qui se jetait à présent dans une autre plus large, aux berges plus escarpées, un fleuve, en somme. Les nuages amoncelés en un camaïeu de gris menaçaient de crever à tout moment. Mais Max n'avait pas envie de se mettre à l'abri. Tant mieux s'il pleuvait. L'averse ne pourrait que lui rafraîchir les esprits en même temps que l'épiderme.

Le fleuve était parsemé d'îlots et ses rives creuses, jonchées de troncs arrachés à la forêt quand celle-ci fait son ménage du printemps. Des pluviers pressés couraient le long de la grève en laissant sur leur passage une double trace d'étoiles humides aussitôt effacée.

Un vent frais s'élevait. Max regrettait la perte de son baluchon, disparu lors de sa séquestration. Peut-être Mme Hermanina en donnerait-elle secrètement le contenu à Clara, qui s'enroulerait dans le vieux pull de laine qu'il aimait tant. Elle pourrait ainsi trouver quelque réconfort à humer son odeur.

Sur la rive d'en face, Max aperçut une forme qui bougeait. Il posa sa main en visière sur son front. C'était un petit enfant qui jouait dans le sable, ignorant la pluie. Un bambin tout nu. Max promena son regard sur la rive à la recherche des parents. Il ne vit personne. L'enfant paraissait dessiner dans le sable, avec une branche, un tableau qu'il reprenait sans cesse parce que les vagues l'effaçaient à chaque flux.

— Ohé! cria Max.

Mais l'enfant, entièrement absorbé par sa tâche, ne leva même pas les yeux. Max resta un long moment à le regarder dans l'espoir que, se sentant observé, le petit regarderait dans sa direction. En vain. Décidément, le monde était peuplé d'étrangers.

Max fit un signe dans le vent, moitié en guise d'adieu, moitié pour s'inciter à continuer sa route.

Dieu planait au-dessus des eaux, toujours flanqué de son ange. Comme Max, il avait vu l'enfant. Il avait souri. L'ange aussi, qui se rappelait le temps où il n'était qu'un chérubin dodu qui voletait sans souci avec les papillons. Il avait voulu dire quelque chose, mais devant le sourire divin où se lisait toute la bonté du monde, il n'osa pas. Ce n'était pas la première fois que Dieu souriait devant un enfant et chaque fois, l'ange en éprouvait un attendrissement voisin de l'exaltation.

— C'est plus tard que ça se gâte, avait coutume de dire Dieu.

Mais cette fois, Il ne dit rien, se bornant à sourire.

Au moment précis où Dieu passait au-dessus de sa tête, l'enfant regarda vers le ciel et fit un geste qui ressemblait à un salut. L'ange crut qu'il avait aperçu un oiseau. Mais Dieu savait qu'il n'en était rien et rendit discrètement son bonjour à l'enfant.

Le crachin avait cessé; l'orage n'était que partie remise. Le ciel avait blanchi, le vent devenait un peu trop frais. De l'écume se formait à la crête des vagues et s'accrochait au bois de grève comme la mousse sur les parois d'un verre de bière.

Max avait abandonné sa marche insouciante pour adopter un pas plus énergique afin de se réchauffer. Bientôt, il lui faudrait trouver un endroit pour dormir. Combien de temps durerait le voyage? Gabou n'avait pas dit à combien d'heures, de jours ou de semaines se trouvait la mer. Pour lui, le temps n'avait plus tellement d'importance. Que signifient les jours et les semaines quand on est millionnaire d'années? Que signifiait donc pour lui la vie d'un homme?

Le ciel creva enfin et une pluie drue de nuées qui n'en pouvaient plus de se retenir s'abattit sur le pays. Max courut se réfugier dans un creux de la berge, là où le fleuve avait jadis grignoté le sable et formé des grottes juste assez profondes pour accueillir un homme ou un animal.

Le dos appuyé contre le sable humide, en se recroquevillant, en ramenant les genoux sous son menton, Max pouvait y tenir au sec. Il avait faim. Il regrettait de n'avoir pas abattu un brochemplume un peu plus tôt. Au fait, l'oiseau existait-il dans cette région? À tout hasard, il lâcha un cri brownien.

— Whoaaaa!

En pure perte. Rien d'autre ne tombait du ciel que cette pluie de fin du monde. Max se dit que le bruit de l'orage avait couvert son cri et que de toutes manières, pas un oiseau ne se risquerait dans l'air par un temps pareil. Il essaierait de nouveau plus tard, pourvu que l'averse ne se transformât pas en déluge. En attendant, il valait mieux essayer de dormir.

Il posa sa tête sur ses genoux et laissa la mitraille étouffée de l'eau sur le sable l'entraîner dans l'univers rassurant du sommeil, là où les pierres n'ont pas d'opinion, où les bergers sont des humains qui gardent chèvres ou moutons et où les dinosaures s'entre-tuent dans des batailles de titans plutôt que de faire de la philosophie.

Il sentit quelque chose de mouillé sous ses fesses. «J'ai fait pipi au lit», songea-t-il, navré. Un bruit qui n'était pas l'habituel concert matinal des fauvettes et des grives le tira de sa torpeur. Cela grondait comme un tonnerre lointain. Il souleva paresseusement les paupières, mais ses yeux ne parvinrent pas à percer l'épaisseur de la nuit.

Il était à présent tout à fait réveillé. Il entendait le clapotis de vagues toutes proches et lorsqu'il posa ses mains sur le sol pour s'avancer hors de sa niche, elles plongèrent dans l'eau jusqu'aux poignets.

Il fallait sortir de là. Vite!

À tâtons, il émergea de la grotte et, s'accrochant à quelques hautes herbes qui pendouillaient dans l'ouverture de l'antre, il parvint à se hisser sur la saillie qui en formait la voûte. Ses yeux s'habituant peu à peu à l'obscurité, il réussit à distinguer, grâce au halo d'un croissant de lune avare, la masse mouvante du fleuve gonflé par la crue subite. Combien de temps avait-il donc dormi pour que ce cours paisible se transformât en torrent? Et que faire maintenant? Il n'était pas question de reprendre la route dans l'obscurité. Il ne ferait pas dix mètres sans trébucher.

Max frissonna dans ses vêtements humides. Il en serait quitte pour un rhume. Il s'assit au milieu des foins mouillés et leur odeur lui en rappela une autre: celle des herbes mêlées à la senteur prenante du miel chaud que sa mère lui préparait lorsqu'il s'enrhumait. Il était dans son lit, la tête enfoncée dans l'oreiller de plumes qui lui caressait les oreilles, l'édredon sec et chaud remonté jusque sous son menton. Une ombre entrait dans sa chambre et déposait sur la table de chevet une grosse tasse fumante qui embaumait.

— Bois vite. Ça te fera du bien.

La voix lui parvenait comme un écho.

Max sortait un bras de sous la couverture et avalait le liquide à petites gorgées pour prolonger son plaisir, puis il reposait la tasse vide. L'ombre rajustait l'édredon près de son visage et une main très tendre effleurait comme un souffle le front de Max, qui fermait les yeux. Pourquoi ne prolongeait-elle pas cette caresse? Il s'entendait dire dans sa tête: «Reste un peu, ne pars pas, laisse ta main sur ma peau encore un moment, jusqu'à ce que je m'endorme.» Mais les mots ne sortaient pas de sa bouche et lorsqu'il ouvrait les yeux, l'ombre avait disparu et il n'y avait plus dans la chambre que Torticolis qui balayait de ses yeux toutes les directions à la fois.

Couché en chien de fusil dans l'herbe mouillée, Max renifla. Mais le rhume n'était pas en cause.

Lorsque l'aube se leva, les nuages achevaient de se dissiper à l'horizon, annonçant que le beau temps succédait à l'orage, banalité consternante qui n'en permit pas moins à Max d'asseoir son espérance sur des bases solides.

Il porta sur les alentours un regard panoramique. La crue ne désemparait pas et la berge qui lui avait servi de refuge durant la nuit se trouvait à présent entièrement submergée, si bien que les eaux léchaient au passage les touffes d'herbes qui courbaient leurs tiges comme pour s'en abreuver. Au loin, à travers les brumes ascendantes du petit matin, se dessinait en rose et en violet la courbe usée de deux montagnes. Une érosion millénaire avait donné à ces jumelles la douceur ondulante des seins d'une femme entre lesquels le fleuve s'était ménagé un passage.

Intuition ou prémonition, Max éprouvait l'inébranlable certitude que la mer se trouvait derrière ces collines et c'est avec cette conviction qu'il se prépara à repartir.

D'abord, il devait calmer sa faim qui se manifestait par une douleur lancinante aux tempes. Il jeta
un coup d'œil vers le ciel. Seul un oiseau de proie
tournait quelque part là-haut, à des centaines de
mètres, dans le monde du silence. À tout hasard, il
lança un «whoaaaa» qui résonna douloureusement
dans son crâne.

Flop. Flop. Il avait fait mouche et deux brochemplumes dodus tombèrent dans l'herbe, raides
dans la mort comme des piquets de clôture.

En récupérant le deuxième, Max s'avisa d'une
présence tout près de lui. À ses pieds, un énorme
crapaud, une bête d'une obésité obscène se frottait
contre son soulier. Mû par un réflexe, Max recula,
mais la curiosité l'emporta sur la répulsion et il se
pencha pour voir l'animal de plus près. Il n'en avait
jamais contemplé d'aussi gros, ni d'aussi pustuleux.
Il crut être en présence du père de tous les crapauds.

L'animal tourna vers lui sa tête furonculeuse et
Max eut un choc. Le crapaud ne possédait qu'un
œil. À la place de l'autre, une plaie récente suintait
de sang et de pus frais.

— Brave Clara, songea-t-il.

Et il fut subitement pris d'un fou rire qui devait
autant à la joie qu'à la crise de nerfs. Il aurait voulu
se rouler dans l'herbe, grimper à un arbre, se lancer
dans la rivière, danser autour d'un feu, crier
victoire. Tout ce que Clara avait dit était donc vrai.
Elle possédait de réels pouvoirs et, à présent, elle
était libre.

Selon son habitude, Dieu observait la scène de
haut. Il ne put s'empêcher de hocher la tête.

— Les hommes sont bien tous pareils, dit-il à son ange. Ils doutent de tout, se mettent martel en tête et refusent de croire jusqu'à ce que leur manque de foi leur saute au visage. Décidément, Je les ai faits bien compliqués.

L'ange rosit. Il ne se sentait jamais tout à fait à son aise lorsque Dieu se jugeait Lui-même.

Revenu de son hilarité, Max reporta toute son attention sur le crapaud dans l'intention bien arrêtée de lui faire un mauvais sort. La grosse bête pataude le sentit certainement puisqu'elle chercha visiblement à s'enfuir. Mais Max, plus rapide, bloqua systématiquement de son pied toutes ses tentatives de sorte que le crapaud en fut réduit à tourner en rond. Dans quelque direction qu'elle empruntât, la créature immonde se heurtait à un mur qui tombait soudain du ciel comme une herse.

— Alors, dit Max, les dents serrées, qu'est-ce que je pourrais bien te faire. T'écraser sous mon talon? Te faire gonfler au feu jusqu'à ce que tu éclates? Hein! Ordure! Je pourrais t'arracher les jambes. Je ne te laisserais que les pattes de devant pour que tu puisses ramper comme quelqu'un que nous connaissons bien, toi et moi.

Max se sentait pris d'une haine féroce qui rendait ses mâchoires douloureuses. Il ne pensait même pas aux sévices qu'il avait lui-même subis, mais aux ignominies que Clara, Mme Hermanina, et d'autres malheureuses créatures avaient endurées au cirque. Il se rappelait cette odieuse soirée à Privilège-sur Sonatine et son cœur s'en trouvait tout gonflé de rage. Mais, à son grand désarroi, cette fureur même le paralysait et l'empêchait de passer à l'acte. Plus il vociférait, plus le crapaud se tassait sur lui-même comme s'il avait voulu s'enfouir dans le sol et plus Max se sentait incapable d'exécuter ses menaces. Alors, il hurla plus fort.

— Je devrais te faire fumer jusqu'à ce que tu fendes en deux, hurla-t-il. Je devrais te piétiner, te réduire en bouillie, répandre tes boyaux dans la nature, je voudrais te... te...

Mais qu'est-ce qui le retenait donc d'écraser la bête immonde?

De grosses larmes coulèrent le long de ses joues et Max sentit un goût de cendre dans sa bouche sèche. Il se laissa tomber sur le sol, les jambes ouvertes, les bras ballants, atterré devant sa propre impuissance.

Le crapaud ne bougeait pas, respirait à peine. Max ne le quittait pas des yeux.

Un criquet stridula.

Et Max sourit, soudain détendu.

Le crapaud ne demandait pas mieux que de mourir. Comment était-il possible qu'il en fût autrement? Écrasé dans l'herbe, il était comme le condamné qui marche au poteau le cœur léger, avec la ferme conviction que ses supplices s'achèvent. Certes, il était paralysé par la peur, mais l'espoir du talon vengeur qui s'abattrait sur lui d'un instant à l'autre pour mettre un terme à ses souffrances donnait un sens à sa frayeur. Non! La mort constituait un châtiment trop doux pour venger l'opprobre et l'humiliation. La vraie vengeance consistait à le laisser vivre.

Surmontant sa répugnance, Max saisit la bête dans sa main et l'éleva à la hauteur de ses yeux.

— Je ne serai pas l'instument de ta libération, répugnant personnage, dit-il d'une voix blanche. Au nom de Clara, d'Hermanina et des autres, je te condamne à vivre! Et les crapauds vivent longtemps, à ce qu'on dit. Midamas et moussious, voici l'esstraordinario lancer dou crapaud.

Et Max projeta la bête gluante dans les airs. L'animal émit une sorte de borborygme répugnant et atterrit dans les herbes avec un bruit sourd.

Dieu secoua la tête, résigné. L'ange le regarda, perplexe. Il avait envie d'applaudir au geste de Max, mais il se retint en s'apercevant que Dieu avait l'air soucieux.

— Après tout, dit-Il après un temps de réflexion, Pavoni n'a que ce qu'il mérite. Je n'approuve pas la vengeance, mais n'y ai-Je pas moi-même cédé, dans le temps? Il y a des fautes qui se pardonnent mal, encore plus quand on est un petit garçon.

Max dévora tout cru le premier brochemplume. Godefroy avait raison: c'était très bon. Cela calma à la fois sa fringale et son humeur et c'est en sifflotant qu'il balança le deuxième oiseau sur son épaule pour entreprendre, le long du fleuve, sa marche vers les montagnes et la mer qui se cachait derrière.

Il mit l'avant-midi pour atteindre le pied de la première colline. Le fleuve se rétrécissait à cet endroit avant de s'engager entre deux falaises abruptes taillées dans une roche friable. Max jugea plus prudent de gravir la pente plutôt que de suivre le cours impétueux du fleuve. Au point où il en était, mieux valait ne pas risquer qu'une vilaine chute ou quelque autre accident bête vînt tout compromettre.

Il prit le temps de cuire le second brochem-plume et se mit en route au moment où le soleil commençait à décliner, passé l'heure méridienne.

Si la pente paraissait douce vue de loin, la mon-tée se révélait plus difficile que Max l'eût d'abord cru. Au contraire de ce qu'il semblait, le sol était inégal, lézardé de crevasses qu'on n'apercevait qu'au dernier moment à cause des végétaux ma-lingres mais abondants qui les dissimulaient. D'énormes quartiers de roc le contraignaient aussi à de multiples détours.

Heureusement, il y avait des racines à quoi s'accrocher, des cailloux contre quoi prendre appui et des branches de conifères nains pour se hisser plus haut.

Il y avait aussi les oiseaux qui sifflaient, jabo-taient, gazouillaient ou caquetaient pour l'encoura-ger. Sans doute avaient-ils été prévenus à l'avance par l'hirondelle de la clairière ou quelque pluvier bavard rencontré sur les berges du fleuve.

— Vas-y, Max! Prends vers la gauche.

— À gauche? Mais il va se tuer, cet enfant. À droite, Max, à droite.

— Mais non, tête de linotte, tout droit, Max!

— Force un peu, Max! N'écoute pas ces buses. Accroche-toi au sapin.

— Pas le sapin, il ne tient que par des radicelles. Prends plutôt le cèdre, Max!

Mais ces exhortations bien intentionnées n'avaient aucun effet sur Max qui, fort heureuse-ment, n'entendait pas la langue des oiseaux. Tout au plus ces piaillements contribuaient-ils à casser un silence qui aurait pu se révéler effrayant.

L'ange avait abandonné toute réserve et suivait la montée de Max comme s'il s'agissait d'un combat. Dieu l'entendait ahaner à la place du garçon et murmurer des oraisons en élevant les yeux au ciel, comme s'il oubliait que Celui à qui il adressait ses prières se trouvait à ses côtés.

Max glissa contre une touffe d'herbe et s'étala soudain de tout son long, ce qui arracha aux spectateurs ailés — l'ange en tête — des sifflements d'angoisse. Mais il se releva sans mal. Seul son bloudjinne avait souffert, qui béait à présent au genou, dévoilant un peu de peau rougie.

Max s'arrêta un instant pour reprendre son souffle. Il avait des mollets en bois; ses mains, écorchées par la pierraille et les aiguilles de pin, tremblaient de fatigue. Mais il en aurait fallu davange pour freiner son élan. Il reprit l'escalade, mettant les enjambées doubles pour rattraper le temps perdu.

— Vas-y, Max!

— Encore un effort, Max!

— Max! Max! Max!

Une odeur nouvelle chatouilla ses narines. Il s'arrêta pour humer l'atmosphère comme un chien qui a perdu la trace du gibier. Le parfum des sapins dominait toujours, mais à travers ces effluves parvenaient des bouffées plus subtiles qui éveillaient chez lui un souvenir flou, des images imprécises.

Un homme, un spectre d'homme, travaillait debout près d'une table. Il raclait quelque chose et des éclats lumineux s'envolaient à chacun de ses gestes, accrochant au passage la lumière qui scintillait tout à coup comme une pluie d'étincelles. Il y avait du sang sur la table et aussi des choses gluantes que l'homme envoyait de temps en temps choir par terre où une armée de chats miaulants et ronronnants attendaient avec impatience.

Le poisson. C'était une odeur de poisson.

Du coup, Max oublia ses douleurs. La mer grouillait de poissons et cette odeur ne pouvait émaner que d'elle.

Le sommet du téton était à présent tout proche.

La lumière décroissait et allongeait les ombres sur une zone déboisée qui restait à franchir, calotte chauve sur le dessus de la montagne au milieu de quoi, posé là comme un sémaphore, une aiguille de roc constituait le point culminant.

Max tomba sur les genoux. Il l'atteindrait avant la fin du jour, tout de suite, à quatre pattes s'il le fallait, mais il l'atteindrait ce sommet, juste pour éprouver la satisfaction de l'avoir atteint. Et pour jeter un œil de l'autre côté.

L'ange voletait à quelques mètres au-dessus de Max. S'il avait pu suer, il aurait été trempé. Ses ailes battaient très vite. Ses deux bras mimaient une partie de souque à la corde et son auréole menaçait à tout moment de choir. Dieu souriait et bien qu'il connût d'avance le résultat de l'escalade, il souffla discrètement, après s'être assuré que son ange était trop absorbé pour l'entendre:

— Allez, Max, du courage. Je t'en ai largement pourvu, sers-t'en!

Max se hissait maintenant le long de la pente à la seule force de ses poignets. Épuisé, le visage baigné de sueur sale, les mains en sang, il gardait les yeux fixés sur le rocher qui dominait le faîte de la montagne comme si le perdre de vue le ferait s'évanouir.

Tout à coup la mer ne comptait plus, ni les réponses qu'elle pourrait peut-être lui livrer, mais l'univers tout entier se réduisait à ce rocher solitaire, dressé comme un défi au-dessus de lui C'est lui qu'il fallait atteindre. C'était pour le toucher, lui, qu'il avait quitté Privilège-sur-Sonatine. C'était pour arriver là qu'il avait abandonné Godefroy, traversé un désert, qu'il s'était laissé surprendre par les sbires de Pavoni et avait souffert dans sa geôle, traversé nuitamment une forêt à la course et manqué enfin de se perdre dans les eaux glacées d'un fleuve en furie. Tout cela méritait une récompense et cette récompense était là, à quelques longueurs d'homme, sous la forme d'un bloc massif, le plus beau bloc massif qu'on pût imaginer.

— Tire, Max!

— Vas-y, Max!

Les oiseaux piaillaient de plus belle et, à force de battre des ailes de plus en plus fort, l'ange en perdait son duvet qui tombait tout autour comme une manne.

Encore un mètre, un demi-mètre.

Touché!

— *Deo gratias,* hurla l'ange dans un élan suprême.

— De rien, dit Dieu tout en mettant discrètement un peu d'ordre dans sa barbe fleurie.

Et les oiseaux tracèrent dans le ciel, en guise de bravos, d'extravagantes figures. Le rocher était vaincu. La montagne était vaincue. Max était épuisé.

Il parvint néanmoins à se dresser contre la

pierre dure. Il en fit le tour comme un aveugle qui longe un mur. Le vent qui l'attendait de l'autre côté le pressa contre le roc et le força à fermer les yeux. Max demeura le cœur battant, plaqué contre la pierre, hésitant à les rouvrir. Enfin, le moment de vérité. Plus qu'un seul geste, une demi-douzaine de muscles à stimuler pour soulever ses paupières et il serait fixé. Mais ce geste, voilà qu'il n'osait plus le faire.

Il craignait subitement d'être déçu. Et s'il n'y avait devant lui qu'un désert, ou une autre montagne ou une autre forêt. Un seul clin d'œil, un insignifiant battement de cils, et tous ses efforts seraient anéantis.

Pour un peu, il aurait eu la tentation de contourner le rocher et de revenir sur ses pas. L'ignorance plutôt que la désillusion. Mais non, cela aurait été stupide.

Alors, pour se donner du cœur au ventre, il compta dans sa tête: un..., deux..., et à trois, il hurla de toutes ses forces en ouvrant les yeux.

Il n'entendit pas la chute de la dizaine de brochemplumes qui tombèrent autour de lui, rigides comme des tiges d'acier. Max n'était plus que deux yeux qui contemplaient le plus grandiose des spectacles jamais vus de mémoire de Max, de Godefroy, de Clara et peut-être même de Gabou.

Au pied de la montagne s'étendait une bande de terre étroite, couverte de blés de mer qui ondulaient doucement dans la brise. Puis il y avait la plage, plus blonde que les blés, presque blanche avec des reflets roses, parcourue des marbrures plus foncées de petits cours d'eau surgis de la terre. Au-delà de cette laisse sinueuse, l'océan immense, brillant, immobile comme une plaque de verre irrégulier, étalait dans la distance ses savants mélanges de bleus et de verts traversés d'une route étincelante menant droit au soleil à demi immergé derrière l'horizon. Sur la gauche, les bouillons du fleuve roulaient en écume sur des cailloux polis avant de se perdre dans cette immensité liquide. Max en éprouvait du vertige. Si l'éternité signifiait quelque chose, il l'avait devant les yeux.

— Que les chérubins jouent de la lyre et les séraphins du psaltérion, qu'on fasse venir Josué avec sa trompette d'airain, que les Élohim embouchent leurs saquebutes, cria l'ange au bord du délire.

— Tout doux, dit Dieu en riant de bon cœur, il ne faudrait quand même pas trop en mettre.

L'autre versant de la montagne était encore plus accidenté.

Max choisit d'emprunter, pour descendre vers la mer, le lit rocailleux d'un ruisseau tari qui déboulait en cascades et s'enfonçait dans le flanc de la montagne.

La descente lui parut interminable. D'abord parce que si les galets formaient une sorte d'escalier naturel, les marches en étaient d'une hauteur inégale, ce qui rendait la progression difficile, voire hasardeuse; et puis aussi parce que, malgré lui, il s'arrêtait à tout moment pour contempler, dans la lumière déclinante, cette étroite gorge creusée à même la roche, qui prenait par endroits des allures de nef, dont les parois traversées de dykes et de veines colorées racontaient l'histoire de la terre.

La gorge s'évasa enfin et Max émergea de ce vagin minéral entre deux gigantesques cuisses de pierre qui s'ouvraient sur le champ de blé qu'il avait vu de là-haut. Il voulut le traverser à la course mais dut modérer ses ardeurs: les épis lui arrivaient à la hauteur des yeux et lui fouettaient le visage, laissant sur sa peau les traces cuisantes de leurs barbes acérées.

Max se vit obligé d'avancer avec précaution entre ces fouets serrés, dernier bastion entre lui et la mer, dont la respiration puissante lui parvenait comme une ample exhalaison, une haleine chargée des senteurs du varech qui agissait sur lui comme le parfum d'une fleur sur une abeille.

Enfin, il écarta les dernières tiges et le tableau de la mer mouvante lui apparut derrière les dunes de sable fin. Le vent frais du large l'enveloppa et il frissonna à la fois de froid et de désir.

Il attendit un peu, réprimant sciemment son envie de se précipiter vers l'eau, comme autrefois il réservait pour la fin du repas les meilleurs morceaux de son plat préféré afin de prolonger son régal. Il devait apprivoiser cette immensité, la faire sienne avec ses yeux et son nez, en éprouver sur sa peau le souffle avant de s'y plonger tout entier.

Lentement, d'un pas de procession, il marcha vers le mascaret.

À mesure que le sable durcissait sous ses pieds et qu'il s'approchait de la ligne changeante de l'eau, Max avait le sentiment que la mer l'attendait, qu'elle cherchait à se dresser sur ses vagues pour mieux l'apercevoir, qu'elle projetait vers lui des membres liquides qui s'étiraient sur le sable.

Il retira ses chaussures et fit quelques pas. Un grondement se fit entendre et une vague déferla à sa rencontre et s'allongea jusqu'à lui effleurer les orteils. Max frémit et s'avança encore. Cette fois la vague monta sur ses pieds et lui serra les chevilles en une étreinte de bienvenue avant de se retirer, timide.

Max répondit à ses avances en pliant les genoux. Une autre vague suivit qu'il reçut dans ses mains. L'eau se glissa entre ses doigts, se lova autour de ses poignets et se déroba de nouveau.

Max n'en pouvait plus d'attendre. Il retira son bloudjinne déchiré de même que son ticheurte humide de la sueur du voyage et se précipita, tout nu, à la poursuite de cette mince pellicule d'eau fuyante.

La mer avait compris. Elle se lançait au-devant de lui pour une étreinte définitive. Max vit la vague se soulever, prendre de la hauteur, se composer une crête d'écume. Il anticipait le choc de la rencontre. Il s'arc-bouta solidement des pieds dans le sable, ouvrit les bras en un geste d'accueil et ferma les yeux. L'eau éclaboussa sa poitrine, s'insinua entre ses jambes et une gerbe salée lui caressa le visage. Max vacilla mais tint bon. Il était heureux.

C'est alors qu'une voix retentit derrière lui.

— Holà, jeune homme. Où croyons-nous aller à cette allure?

Dieu, qui regardait la mer avec l'émerveillement d'un peintre qui s'étonne tout à coup devant son propre tableau, se retourna brusquement.

— Ah non! Je l'avais oublié celui-là.

Et l'ange regarda ailleurs parce qu'il ne pouvait concevoir que son Dieu oubliât quelque chose.

Max avait fait une brusque volte-face en même temps que son cœur bondissait dans sa poitrine.

L'ange s'était voilé la face, mais, curieux comme un chat, il épiait Dieu par-dessous l'aile. Il vit que Celui-ci mâchonnait nerveusement un bout de sa moustache, ce qui augurait mal. Dieu avait perdu coutume de s'abandonner à ses emportements, mais quand cela se produisait, les choses avaient l'habitude de tourner au vinaigre. La dernière fois remontait à plusieurs siècles, quand les habitants d'un continent tout entier L'avaient défié. Il en avait conçu une telle colère que dans un mouvement d'humeur, Il avait englouti leurs terres sous des masses d'eau.

— Peut-être préférez-vous partir, demanda l'ange d'un ton qui frisait l'obséquiosité.

— Pour aller où? répliqua Dieu de mauvaise humeur, tu sais bien qu'ici ou ailleurs, c'est la même chose. Quand on est partout, on est partout.

Puis il respira un grand coup par le nez et parut se détendre.

— Ça ira. Après tout, il faut bien apprendre à vivre avec ses bavures.

Max, dans l'eau jusqu'à mi-cuisse, regardait le nouveau venu. À ses yeux, l'homme paraissait gigantesque: une masse imposante de muscles cuivrés jouant sous la peau comme des serpents amoureux, montée sur des jambes grosses comme des tours. Il ne portait pour tout vêtement qu'un pagne de peau et son corps luisait de reflets métalliques.

Max nota que le géant portait aux poignets et aux chevilles des bracelets d'acier reliés entre eux par des chaînes qui cliquetaient au moindre mouvement.

— Vous êtes l'Esclave enchaîné, j'imagine, dit Max en se rappelant les paroles de Gabou. Je croyais que vous n'étiez qu'une légende.

L'Esclave toisa Max.

— Est-ce que... est-ce que j'ai l'air d'une légende? dit-il avec une lenteur exagérée, comme s'il passait soigneusement chacun de ses mots au crible avant de les laisser s'échapper.

En même temps, il bombait le torse, ce qui donnait lieu à une extraordinaire chorégraphie musculaire.

— Je suis beaucoup plus que cela, poursuivit-il, je suis... je suis un mythe. Et toi, que fais-tu là, tout nu dans ma mer? C'est interdit la nudité ici.

Max avait oublié qu'il n'avait plus ses vêtements. Il rougit de confusion en plaçant ses mains devant son sexe.

— Je m'appelle Max et je cherche quelque chose qui se trouve ici, à ce qu'on m'a dit.

— Qui ça «on»?

— Un très vieux dinosaure.

L'Esclave plissa le front. À en juger par l'effort qui se lisait sur son visage, Max en conclut que la réflexion ne devait pas être son fort.

— Est-ce que je pourrais, s'il vous plaît, récupérer mes vêtements? J'ai froid.

L'Esclave sursauta comme quelqu'un qu'on tire d'une rêverie.

— Vêtements? Un dinosaure, dis-tu? Ça me dit quelque chose, mais quoi? Allons sur la plage, c'est moins humide.

Il se retourna dans un cliquetis de métal en offrant à Max le spectacle d'un dos triangulaire parcouru de courants musculeux.

Max le suivit, attrapant au passage son ticheurte, son bloudjinne et ses souliers. Puis l'Esclave se planta devant lui.

— Donc, récapitulons. Tu cherches quelque chose et ton dinosaure t'a dit que cela se trouvait ici, c'est ça?

— C'est ça.

Un sourire de contentement illumina les traits de l'Esclave, dont les dents blanches éclatèrent dans les rayons du soleil couchant.

— C'est parfait. Le problème, c'est que tu ne peux pas rester là.

— Hein! fit Max.

— C'est interdit.

— Interdit? Mais par qui?

— Par le règlement. Moi, je suis là pour faire respecter le règlement.

Max regardait l'Esclave, perplexe. Gabou n'avait pas parlé de règlement. En revanche, il avait mentionné que l'Esclave était un peu toqué.

— Je ne savais pas qu'il y avait un règlement, dit Max le plus innocemment du monde.

— Tu parles, dit l'Esclave. Et sévère avec ça. Le règlement dit que cette plage est privée. C'est une PAB, réservée à l'usage exclusif des membres du CDB.

— Une PAB? CDB?

— Une Plage À Bronzer pour les membres du Club Des Bronzeurs.

— Mais moi, je ne suis pas venu pour me faire bronzer.

L'Esclave mit un doigt à sa bouche.

— Ah! Dans ce cas c'est différent. Peut-être le règlement ne s'applique-t-il pas?

Il marqua un temps d'arrêt. Son front se plissa de nouveau de rides pensives.

— Mais si tu ne viens pas pour bronzer, pourquoi es-tu là?

— Je vous l'ai dit. Je cherche quelque chose et si j'en crois Gabou — c'est le nom du dinosaure — qui le tient lui-même des oiseaux et du vent, cette chose se trouve quelque part ici même dans la mer.

Alors l'Esclave fit un effort immense et les mots sortirent lentement de sa bouche comme chez un écolier qui lit pour la première fois à voix haute.

— On trouve des tas de choses dans la mer: des poissons, des coquillages pleins ou vides, c'est selon, des étoiles de mer, des vers marins, des ascarides, des algues, des néréides, du varech, parfois des serpents mais ils sont rares. De toutes manières, c'est interdit de prendre quoi que ce soit dans la mer. Gabou, dis-tu?

— Moi, ce qui m'intéresse, c'est le sens de la vie, dit Max.

La réponse de Max fit l'effet d'un coup de poing sur l'Esclave, dont le visage se transforma subitement. Il s'étira, s'allongea, s'avachit, devint flasque comme si son propriétaire vieillissait d'un seul coup. Puis le grand corps parut se dégonfler. Les épaules fléchirent, la poitrine se creusa, les pectoraux s'affaissèrent, le ventre se relâcha pendant que les jambes se dérobaient sous lui et qu'il croulait lentement au sol, dans la position du tailleur écrasé de travail. Le fier Atlas s'était métamorphosé en Bouddha soucieux et marmonnait des paroles sans suite.

— Le sens la vie... Être ou ne pas être... Interdit... Gabou... Vivre ou mourir... Choisir, toujours choisir... Interdit de choisir...

La voix sonnait comme celle d'un vieillard, un fausset mal timbré et plaintif.

— Le désespoir s'accommode mal de la tonitruance des cuivres, dit l'ange.

— Je me passerais bien de tes réflexions philosophiques, trancha Dieu.

L'ange rougit. S'il avait pu, il se serait caché dans un nuage. Il se contenta de joindre les mains.

— *Dies irae, dies illa, solvet saeclum in favilla,* marmonna-t-il très vite entre ses dents.

— Qu'est-ce que vous avez, qu'est-ce qui se passe? demanda Max, inquiet.

— J'ai mal, dit l'Esclave en portant une main molle à sa poitrine.

Max était de plus en plus troublé. Il éprouvait un mélange d'impuissance et de culpabilité. Il avait envie d'appeler au secours.

— Vous avez une douleur au cœur?

— Pas au cœur. J'ai mal à mon âme, gémit l'autre.

— Dites-moi ce que je peux faire.

— Il n'y a rien à faire. Ne t'inquiète pas, ça va passer. Les maux d'âme, ça passe toujours.

Le géant reprenait des couleurs. Il sourit faiblement, comme un enfant après un gros chagrin.

— Voilà, c'est déjà mieux.

Puis il regarda le sable entre ses jambes et poursuivit comme pour lui-même:

— Le sens de la vie! Il faut beaucoup de courage. Moi, je ne cherche plus, bien que parfois je pense que je cherche encore. C'est confus dans ma tête. Il y a des moments où je ne sais plus. D'autres où je me dis qu'un jour, je vais briser mes chaînes et que je partirai moi aussi. Mais c'est interdit. Défendu. Impossible de rêver. Je suis condamné.

Dieu toussota et marmonna quelque chose que l'ange ne parvint pas à entendre mais qu'il se garda bien de Lui demander de répéter.

Max ne comprenait rien, ni à la mélancolie de l'Esclave ni à ses paroles. Mais la vue de ce géant abattu, terrassé, au bord des larmes, le retenait de l'interroger davantage de peur d'aggraver son état. Un petit crabe rouge vint tâter du bout des pinces les bords de sa semelle.

— Le sens de la vie, reprit l'Esclave après un long silence, c'est quelque part, là-bas, du moins à ce qu'il paraît.

D'un geste il désignait l'immensité du large. En entendant le tintement des chaînes, le petit crabe disparut dans le sol en crachant un peu de sable.

— Mais c'est interdit, même... même...

L'Esclave s'assena un grand coup du revers de la main sur la tempe.

Boinnggg! Les chaînes s'entrechoquèrent. Cela rendit un son de métal creux.

— ... même d'y penser.

— Pourquoi vous frappez-vous? demanda Max qui n'en pouvait plus de se taire.

— Parce que ma tête bourdonne et que je cherche tout le temps les mots. Parce que je voudrais dire les choses que je veux et que je n'y arrive pas.

Il regarda vers le ciel et enfla la voix.

— Je veux prendre congé! J'exige un répit!

— À qui parlez-vous? demanda Max en levant à son tour les yeux vers les nuages grisonnants. Il n'y a personne.

L'Esclave fouillait toujours le ciel du regard et c'est avec une sorte de rage qu'il hurla:

— Celui qui doit m'entendre m'entend. N'est-ce pas que tu m'entends?

L'ange regarda Dieu. Ce dernier avait le visage dur et fermé. Il ressemblait à ses statues. L'ange voulut dire quelque chose, mais au regard froid qu'il reçut, il comprit qu'il valait mieux continuer de se taire.

Max se risqua une fois de plus. Sa voix se fit la plus douce possible.

— À qui vous adressez-vous?

L'Esclave le regarda comme s'il le voyait pour la première fois. Il émergeait d'une sorte de transe.

— Ah! tu es encore là. Je te demande pardon. Mais c'est plus fort que moi. J'éclate. C'est que, parfois, cela devient intolérable. Le silence, je veux dire. *Son* silence. Mais ça va mieux à présent.

— Mais le silence de qui? dit Max.

— Le silence de celui qui se tait, reprit l'Esclave.

Max se mordit la lèvre. À lui tout seul, l'Esclave parvenait à se montrer plus frustrant que Privilège-sur-Sonatine tout entier.

Il se leva péniblement.

— J'ai besoin de marcher un peu. Tu peux m'accompagner si tu veux. De toutes manières, tu n'as pas le choix. C'est le règlement: je dois te surveiller tout le temps.

Max emboîta le pas à l'Esclave, qui traînait les pieds à cause de ses entraves. Ils parcoururent ensemble une bonne centaine de mètres dans le sable mou avant que Max ose reprendre la parole.

— Pourquoi êtes-vous ici? demanda-t-il.

— C'est le châtiment, dit l'Esclave. Du moins, cela en fait partie.

— Ah bon! dit Max, qui commençait à désespérer d'obtenir des réponses.

Une autre centaine de mètres.

— Tu ne me demandes pas ce que j'ai fait pour mériter cette punition? dit l'Esclave.

— Je n'osais pas, dit Max.

— Ose, petit, ose.

— Alors?

— Alors quoi?

Max soupira.

— Pourquoi avez-vous été puni?

L'Esclave s'arrêta. Le bruit des chaînes cessa. On n'entendait plus que la respiration profonde de l'océan comme une présence enveloppante dans la demi-obscurité du soir.

— Écoute comme c'est bon, la paix de la brunante, dit l'Esclave.

Il y avait de la lassitude et du soulagement dans sa voix. Il indiqua une cabane de planches toute proche, un simple abri de fortune composé de matériaux récupérés sur la plage, et se dirigea vers elle.

— C'est là que vous vivez? dit Max en espérant que l'Esclave daignerait répondre à une question plus concrète.

— Vivre, c'est beaucoup dire. Mettons que c'est là que je me réfugie quand il pleut ou quand les membres du Club m'insupportent.

L'Esclave se laissa choir sur un tronc rongé par l'eau de mer et fit signe à Max d'en faire autant. Il contempla longuement la mer sur laquelle un maigre rayon de lune commençait à danser, puis sans se tourner vers Max, comme s'il parlait à quelqu'un qui se serait trouvé entre la plage et l'horizon, il commença son récit.

— À mesure que le temps passe, mes souvenirs deviennent de plus en plus vagues; ils flottent dans un brouillard et j'ai parfois l'impression de m'en inventer pour combler les vides. En outre, j'ai beaucoup de peine à mettre de l'ordre dans mes idées. Cela fait partie du châtiment. Mais il y a des événements que je n'oublierai jamais. Je sais que j'étais seul à cette époque. Tout seul dans un pays... euh... euh...

Boingggg!! L'esclave se frappa le crâne une fois de plus et ses yeux louchèrent sous le choc.

— ... euh... magnifique. Où en étais-je? Ah oui! Le pays. Il y avait de tout: des fleurs, des arbres, des fruits en abondance, des légumes partout. Je n'avais qu'à tendre la main pour me nourrir. Chaque jour, un mets différent. Du délire. Il y avait aussi des animaux. Des animaux comme il n'en existe plus aujourd'hui, avec qui je pouvais m'entretenir parce que nous partagions tous le même langage. Aujourd'hui, c'est à peine si je me fais comprendre de mes chiens. Mais je m'égare. Donc, je vivais seul. Du moins au début. Puis un jour, après avoir exploré, comme je le faisais chaque jour, un nouveau coin de ce pays qui m'émerveillait sans cesse, je me suis endormi sur le bord d'une rivière. C'était bon. La chaleur coulait sur mon corps et ma sueur avait un goût de... euh...

— De miel? risqua Max, à qui cette histoire en rappelait vaguement une autre.

Boinnngggg!

— Exquis. Un goût exquis. L'air vous transportait de ces odeurs de verveine, de thym et de lavande, tant et si bien que le nez se trouvait en perpétuelle extase. Donc, je m'endors sous un palmier. Et puis je me réveille avec une douleur ici, dans les flancs. Mais il y a aussi autre chose. Voilà que je suis devenu deux. Allongée près de moi, sans vêtements, les membres épars dans une attitude qui me fait encore venir les larmes aux yeux rien que d'y penser, il y a une autre créature.

Le regard de l'Esclave devint un peu plus transparent, un peu plus humide, et sa voix se fit plus douce, presque tendre.

— Elle avait une peau si dorée, si odoriférante que les oiseaux eux-mêmes s'étaient arrêtés de chanter pour mieux jouir de sa beauté. Et Celui qui m'a puni, avec qui j'entretenais encore à l'époque un rapport cordial, me parla par la bouche d'un tigre. «Je te fais un cadeau, dit-il. Je te donne une compagne. Cela agrémentera tes jours et puis, c'est toujours plus agréable de parler à quelqu'un que de s'adresser aux fleurs comme je t'ai vu faire depuis un certain temps.» La... La...

Boinnggg!!

— La Femme — c'est comme cela que s'appelait la créature alanguie à mes côtés — la Femme, donc, se réveilla et ce fut comme si nous nous connaissions depuis toujours. J'avais le sentiment d'être de la même eau, de la même terre, de la même chair qu'elle et plus tard, elle me confia qu'elle éprouvait la même chose à mon égard. Quand elle fut parfaitement éveillée, le tigre nous parla à tous les deux: «Je répète la consigne pour la forme: tout ceci est à vous, vous pouvez vous balader où vous voulez, grimper aux arbres, jouer avec les bêtes, bouffer les fruits, pratiquer à corps perdu la bagatelle, la place vous appartient. Toutefois, Je vous avise que la montagne là-bas est à moi. C'est mon territoire personnel, que je me réserve pour mon usage et celui de mes anges. Quant au reste, amusez-vous. Soyez heureux.» Voilà, le mot redoutable était lancé. Il n'avait pas dit: «Je vous souhaite d'être heureux» ou encore «Tâchez d'être heureux» ou même «Puissiez-vous être heureux». Son vœu était un ordre, un commandement, une prescription. En somme, Il exigeait que nous fussions heureux. Nous étions tenus au bonheur.

L'Esclave serra les poings et les muscles de ses bras s'enflèrent au point que Max crut que les chaînes allaient céder. Mais elles étaient d'une solidité à toute épreuve.

— Au début, nous vivions effectivement dans une sorte d'euphorie. Il avait dit que nous pouvions tout faire, y compris la *bagatelle*, ce qui nous avait paru bien mystérieux. Mais quand nous avons découvert de quoi il s'agissait, nous avons suspendu nos promenades à droite et à gauche pour consacrer le plus clair de nos heures de veille à cette seule activité.

— Qu'est-ce que c'est, la bagatelle? interrompit Max.

— Tu es bien jeune pour ce genre de choses, dit l'Esclave en rougissant sous sa peau de cuivre, ce qui lui donna pendant quelques secondes un air congestionné.

Max réfléchit un instant. Il ne voyait pas ce que son âge avait à voir là-dedans.

— Ah bon, j'ai compris, dit-il après un moment. J'ai connu un garde-biques qui rougissait aussi quand le bouc montait ses chèvres et j'ai vu plus d'un bœuf effaroucher des taures dans le pré.

L'Esclave parut soulagé de n'avoir pas à fournir d'explication.

— Ne m'interromps plus s'il te plaît, je perds le fil si facilement. Rien ne me reste dans la tête longtemps.

De grosses gouttes d'eau coulaient le long de ses joues et Max se demanda s'il s'agissait de sueur ou de larmes.

— Où en étais-je?

Boinngg!

— Ah oui! La... bagatelle. Toujours est-il que durant les semaines suivantes, les animaux eux-mêmes se demandaient si nous n'avions pas disparu tant nous nous fîmes rares dans les sentiers du... du...

Boinnggg!

— ... du pays. Mais le temps érode tout, surtout les grandes passions, et au bout d'un temps, nous nous encroûtions dans la routine de la béatitude. Peut-être aurions-nous été plus heureux si l'Autre ne s'était acharné à nous rappeler sans cesse que nous l'étions; Il ne ratait pas une occasion d'observer que notre contentement faisait plaisir à voir, qu'il était fier de son œuvre — il nous appelait son œuvre — que la joie nous seyait bien. De temps en temps, il surgissait sans prévenir, accompagné de cohortes d'anges qu'il prenait à témoin de notre bonheur.

L'Esclave releva la tête et s'adressa au ciel.

— Tu aurais été mieux inspiré de nous laisser tranquilles, tout à notre félicité, plutôt que de nous exhiber à tes anges et à tes saints comme des animaux de cirque.

À la mention du cirque, Max éprouva un haut-le-cœur.

L'ange regardait Dieu qui regardait ailleurs. Jamais il ne L'avait vu si froid, si apparemment détaché des biens de l'autre monde.

— Tu vois, reprit l'Esclave, le bonheur ressemble à ces poissons étranges qui vivent dans les profondeurs de l'océan. Laissés à eux-mêmes, ignorés de tous, ils vivent leur vie cachée sans déranger personne. Mais il suffit qu'on les ramène à la surface pour qu'ils éclatent comme des ballons et on n'a plus entre les mains qu'une bouillie de... de... de...

Boinnggg!

— ... de chair molle et de sang.

La douleur décomposait le visage de l'Esclave. Il était essoufflé.

— Nous ne pouvions plus supporter Ses apparitions intempestives. Nous n'osions plus rien entreprendre — la bagatelle moins que toute chose — de crainte que des brigades de purs esprits, impatients d'observer de près ce qu'était le bonheur, ne nous surprennent en pleine copulation. Ce n'est pas que la chose nous gênait, mais il y a des gestes qu'on préfère garder pour soi et des paroles qui s'accommodent mal d'un auditoire. Mais Lui, Lui... Il n'avait aucune pudeur, aucune réserve. Il était fier de nous, qu'Il disait; mais en réalité, nous n'étions pour Lui que des créatures, des jouets créés pour son seul plaisir, sa seule gloire. Ce qu'il a pu nous casser les oreilles avec sa gloire!

Dieu fixait toujours un point dans le ciel, mais l'ange voyait bien qu'il ne perdait pas une parole du récit de l'Esclave.

— Si bien, poursuivit ce dernier, que nous avons cherché à nous cacher. Que pouvions-nous faire d'autre? Mais Il connaissait tous nos refuges; il nous retrouvait dans les cavernes les plus secrètes, derrière les plus petits bosquets, dans les buissons les plus obscurs qu'Il enflammait parfois par jeu. Parce qu'à ses yeux, tout cela n'était qu'un jeu. Il s'amusait, croyant que nous y prenions le même plaisir. Nous avions même renoncé à la bagatelle, tant était grande notre obsession de Le fuir. Le fuir! La belle affaire. Fuit-on quelqu'un qui sait tout, qui est partout? Alors, en désespoir de cause, nous avons résolu de lui déplaire. C'était l'ultime solution. Si nous parvenions à le décevoir, peut-être nous laisserait-il enfin en paix et jetterait-il son dévolu sur d'autres créatures?

L'Esclave s'arrêta de parler. Il était cramoisi.

— Et puis, dit Max impatient, qu'est-ce que vous avez fait?

L'Esclave fit un geste de la main qui signifiait que Max allait beaucoup trop vite pour lui. Il prit une grande inspiration.

— Nous n'avons pas cherché longtemps. Nous avions eu, la Femme et moi, la même idée. La montagne interdite se dressait en plein milieu du pays, visible de partout, comme une verrue sur un visage, pour nous rappeler en permanence ce qui nous était prohibé. Nous ne savions pas pourquoi Il nous en avait défendu l'accès, ni ce qu'elle recelait qui Le justifiât d'en réclamer la jouissance exclusive. Mais, quelles que fussent ses raisons, il nous apparut qu'il n'y avait pas plus sûr moyen de Le désenchanter. Cette montagne, il nous la fallait violer.

— Qu'est-ce qu'il y avait sur la montagne, demanda Max que la curiosité dévorait.

L'Esclave fit la grimace.

— Attends. Ne m'interromps pas, je t'en prie. Si tu savais comme c'est difficile d'empêcher mon esprit de... de...

Boinngg!

— ... vagabonder.

L'Esclave vacilla et regarda autour de lui comme s'il cherchait où il était.

— La montagne, souffla Max pour le remettre sur la bonne voie.

— Oui! C'est ça, la montagne. Mais il s'écoula encore plusieurs jours avant que nous osâmes mettre notre plan à exécution. Décider ce qu'on doit faire, c'est une chose, mais quand il s'agit de passer aux actes... Parfois c'était la Femme qui soulevait une objection, parfois c'était moi. Et si la montagne nous engloutissait? Et si nous courions à notre perte? Quelle serait Sa réaction? Ne valait-il pas mieux attendre? Peut-être se lasserait-il de notre bonheur et se tournerait-il vers d'autres jeux?

— Mais vous l'avez fait?

— Fait quoi?

Max serra les poings. Il avait envie d'assener lui-même un coup sur la tête de l'Esclave.

— Gravir la montagne.

— Oui. La montagne. Un matin, Il est apparu au lever du jour, avec son grand sourire et une nouvelle fournée de visiteurs à qui il déclarait que nous étions sa plus belle réussite, en qui il avait mis toute sa complaisance. Et patati, et patata. Voyez comme ils sont heureux, disait-Il, voyez ces visages réjouis, humez l'odeur de la béatitude... et tout le tremblement. Alors, sans même nous consulter, nous sommes sortis de la caverne et nous sommes partis en direction de la montagne.

— Est-ce qu'Il a cherché à vous retenir?

Un sourire triste erra sur les lèvres de l'Esclave.

— Nous retenir? J'en frémis encore. Nous avons eu droit au déploiement de Sa toute-puissance et crois-moi, en cette matière, Il sait faire les choses. La terre s'est mise à trembler, les pierres roulèrent les unes sur les autres et s'abîmèrent dans des crevasses qui s'ouvraient devant nous. Jamais je n'avais vu tant d'éclairs traverser le ciel. Et le vent! Un souffle à vous soulever de terre, balayant des grêlons gros comme le poing et qui manquaient de nous assommer. Et le feu. Le feu qui jaillissait en gerbes de la moindre craquelure et la pierre fondue qui coulait sur les flancs du massif. Nous nous sommes mis à courir. Pour la première fois, nous connaissions la peur de disparaître. Lorsque nous sommes parvenus au pied de la montagne, le pays n'était plus que désolation. Il ne restait plus un arbre, plus une fleur, et les animaux s'étaient enfuis. Tout était noirci, calciné. Il n'y avait plus... euh...

Cette fois, l'Esclave ne prit pas la peine de se frapper le crâne. Il se tut et demeura immobile, le regard perdu dans le noir, les bras ballants entre les genoux, sous l'emprise d'une lassitude immense. Son visage exprimait le deuil et la résignation.

Max essayait d'imaginer, sans y parvenir tout à fait, le cataclysme qu'il avait décrit. Il se demandait surtout quelle sorte d'être pouvait déclencher de telles calamités, entrer dans une fureur aussi dévastatrice. Mais il se retint de poser d'autres questions, craignant d'ajouter au désarroi de l'Esclave perclus de tristesse. Ce dernier soupira enfin et son expiration ressemblait à un soufflet de forge.

— Nous avons atteint le sommet de la montagne au milieu de la tourmente. Et là, nous n'avons rien trouvé. Rien du tout. C'était une terre aride, couverte de roches et de petits végétaux malingres et secs. Ensuite, tout s'est passé très vite. Il s'est planté devant nous sous la forme d'un buisson qui brûlait sans se consumer et nous a annoncé notre châtiment. Nous n'avions pas voulu de son bonheur. Qu'à cela ne tienne! Nous en conserverions le souvenir éternel et le goût de le retrouver nous dévorerait. Nous connaîtrions la pénurie, la faim, le désespoir, l'indigence et aussi... euh... euh!

Boingggg!

— Les chaînes? dit Max.

— Oh non! Les chaînes, c'est pour faire joli. Non! Bien pire. Il nous a privés de notre langage. Il a dit: «Pour vous faire apprécier à l'avenir le sens des mots, je vous condamne à l'incohérence.

Puisque vous avez si bien réussi à vous entendre pour me tromper, vous ne vous comprendrez plus désormais. Ce que vous direz n'aura pas de sens l'un pour l'autre. Maintenant, disparaissez de ma vue!» Alors nous nous sommes retrouvés, la Femme et moi, frissonnant de froid parce que le soleil avait disparu derrière des nuées noires.

Nous sommes redescendus dans la vallée qui n'était plus qu'un désert. Nous avons marché longtemps en silence, médusés au début, puis de plus en plus inquiets. La faim nous tiraillait, mais nous ne trouvions rien à nous mettre sous la dent. La Femme dit quelque chose que je ne compris pas. Mais, à son air, je vis qu'elle était en colère. Je voulus la calmer, mais mes paroles ne firent que l'irriter davantage et, à un moment, elle me lança même des pierres. Nous ne pouvions plus nous parler. Plus tard, beaucoup plus tard, après bien des batailles, nous avons enfin réussi, chacun de notre côté, à saisir quelques paroles du langage de l'autre, juste assez pour nous invectiver de plus belle. Depuis, nous vivons comme deux ennemis, chacun rappelant à l'autre, par sa seule existence, les bons moments qu'il a connus avant le grand orage. Parfois je m'ennuie de la bagatelle, la Femme aussi, je pense. Certaines nuits, il nous est arrivé de nous retrouver sous le couvert de l'obscurité, mais ce n'était plus la même chose. La batagelle, sans les mots qui viennent avec, ça n'est plus que de la fornication. Cela n'a plus de sens et les actes qui n'ont pas de sens, c'est épouvantable. Si tu savais.

— Justement, je crois savoir, dit Max, songeur.

L'ange frissonna. Dieu regardait maintenant

l'Esclave avec insistance, comme on regarde quelqu'un qu'on n'a pas vu depuis longtemps en essayant de reconstituer dans ses traits vieillis le visage d'autrefois. L'ange constata qu'Il avait perdu la morgue hautaine qu'Il affichait un peu plus tôt.

Max réfléchit un instant.

— Moi, je vous ai très bien compris, vous savez. Ce que vous dites a beaucoup de sens.

Les yeux de l'Esclave s'embuèrent.

— C'est vrai?

— Je vous assure. Il y a bien, par-ci par-là, des paroles que je n'ai pas saisies, mais dans l'ensemble, je vous ai suivi. La preuve, c'est que voilà plus d'une heure que nous discutons.

Boinnng!

L'Esclave s'était assené un coup à déraciner un chêne. Il se leva en titubant et se mit à danser sur place dans un tintamarre de chaînons qui s'entrechoquaient. Il riait d'un grand rire hystérique.

Dieu se tourna vers l'ange. Devant l'air ahuri de ce dernier, Il éprouva une subite envie de S'expliquer. Mais comment faire comprendre à un être qui vous adore que la perfection a ses limites, même si elles sont infinies; que la bonté divine tolère parfois de saintes colères et qu'on a beau être Dieu, on n'en est pas moins — pour ainsi dire — humain.

— Bon, c'est entendu, finit-Il par dire, j'ai manqué de miséricorde. Admettons, à la rigueur, que j'ai eu tort de lui imposer le bonheur. Mais J'étais tellement fier d'avoir réussi un homme. Les anges, c'était déjà quelque chose. Mais un homme, en chair et en os, avec l'esprit en plus. Cela était

plus fort que moi, il fallait que Je le fasse voir à
toute la création. Quand il a désobéi, j'ai vu rouge.
Et mon bras s'est abattu sur lui. Avec le recul,
J'avoue que j'aurais peut-être pu y aller un peu
moins allègrement. Mais c'était l'époque des mises
en scène élaborées, des spectacles à grand
déploiement. Conviens tout de même qu'il avait
mérité d'être puni. De toutes manières, ce qui est
fait est fait. Et, en somme, que valent quelques
millénaires devant l'éternité? Il fait déjà des progrès.
Il récupère petit à petit son langage; d'ici peu, il
réussira sans doute à communiquer avec la Femme.
Elle lui en veut encore un peu, mais cela lui passera.
Tout passe en ce bas monde, même le ressentiment.
Tiens, si ça se trouve, je ne serais pas étonné que
d'ici un siècle ou deux, il m'adresse la parole autrement que pour m'engueuler.

— Vous êtes infiniment clairvoyant, dit l'ange en
se courbant humblement.

Il n'était pas certain d'avoir tout saisi, mais,
après tout, qui était-il pour mettre en doute la
parole de Dieu.

— J'espère bien! dit Dieu en haussant les
épaules.

L'Esclave s'était arrêté, essoufflé, mais un sourire
béat s'attardait sur ses lèvres.

— C'est la première fois que je parviens à tout
raconter sans trop de mal. Je suis tellement fatigué.

Il tomba à genoux, comme un marathonien au
bout de sa course. Il marmonna quelques paroles
que Max n'entendit pas, puis s'écroula sur le sol. Il
se mit immédiatement à ronfler, son sourire persis-
tant sur son visage où le sable se mêlait à la sueur.

Max le regarda dormir. Il éprouvait lui aussi une grande lassitude, mais un pli soucieux marquait la naissance de son front, entre les sourcils. Ses pensées allaient vers Gabou. Le dernier des dinosaures avait été sans équivoque: s'il se trouvait un endroit au monde où il avait des chances de découvrir le sens de la vie, c'était ici. «Toutes les clés se trouvent dans la mer.» N'étaient-ce pas ses propres paroles? Jusqu'à présent, il n'avait rien vu ni entendu qui laissât soupçonner l'existence de la moindre clé. Quant au récit de l'Esclave, si instructif fût-il, il ne voyait pas en quoi il pouvait lui être utile.

Les ronflements du géant se mêlaient à celui des vagues qui venaient mourir sur la plage et dont on devinait l'incessant va-et-vient dans la lumière opaline que dispensait la lune. Max se leva sans bruit et s'éloigna juste assez pour ne plus entendre la respiration de l'Esclave. Il s'assit dans le sable et contempla la crête des vagues qui scintillaient dans les ténèbres comme des écailles d'argent. Sa peau se rappelait le contact de l'eau et sa bouche en retrouvait le goût de sel. Quelque part dans cette mouvance, des réponses existaient qui rendaient inutiles les questions.

Il se renversa sur le dos et l'univers bascula en même temps. Il n'était plus qu'un amas de petits points lumineux, vigilants et immobiles contre un immense drapé de velours sombre. Qu'y avait-il donc là-haut? Pouvait-on espérer pouvoir un jour s'y rendre? Juste pour voir. Juste parce que c'était là. À moins que ce ne fût, comme la montagne de l'Esclave, un domaine interdit, un territoire sacré à l'usage exclusif de quelque personnage terrifiant capable de colères dévastatrices. Et, au fait, qui était donc cette abominable créature?

— Créateur, pas créature, dit Dieu.

Il eut un geste et Max sombra dans le sommeil.

— Ça suffit pour aujourd'hui, dit-Il. Sa tête va éclater.

— Qu'est-ce que tu fais là, toi!

La voix puissante de l'Esclave parvenait aux oreilles de Max au milieu d'une rumeur qui se mêlait au grondement permanent de la mer. Le soleil chauffait son visage et animait un enchevêtrement de follicules translucides qui s'agitaient, anarchiques, sur la toile de fond écarlate de ses paupières closes.

Il ouvrit les yeux. La lumière crue lui fit mal. Il les referma aussitôt pour ne laisser filtrer qu'un peu de jour entre ses cils et regarda autour de lui.

Durant la nuit, des parasols avaient poussé çà et là sur la plage comme autant de végétaux mi-fleurs mi-champignons. Un peu partout, des corps formaient de petites dunes ambrées ou brunes contre le sable blanc.

Il tourna la tête.

L'Esclave se tenait debout derrière lui, jambes écartées, les mains sur les hanches.

— Vous ne me reconnaissez pas? demanda Max. C'est moi, Max. Nous nous sommes rencontrés hier et vous m'avez raconté votre vie.

L'Esclave demeura bouche bée.

— Moi? dit-il après avoir plissé le visage dans un immense effort de concentration.

— Vous!

— Raconté ma vie, moi?

— Oui. Rappelez-vous, la Femme, la montagne, le châtiment.

Max était inquiet. Alors que la veille, il s'était endormi avec le sentiment que l'Esclave était disposé à l'aider, voilà que tout menaçait de s'écrouler.

— La montagne... le châtiment... la Femme, répéta l'Esclave comme s'il énumérait des images qui se déroulaient devant lui.

Ses yeux devinrent troubles.

— Je n'avais pas le droit. Il est interdit de parler de ces choses.

Il regarda vers le ciel et se mit à gémir.

— Je Te demande pardon, je ne le ferai plus, j'implore Ton indulgence et Ton absolution. J'ai le ferme propos.

Dieu fit un geste auguste de mansuétude. L'ange en conclut qu'Il était dans de bonnes dispositions et se courba profondément.

— Alors, vous savez qui je suis? demanda Max.

— Oui, oui. Ça me revient. Tu es M... M...

Boinng!

— Max, dit Max.

L'Esclave chancela, secoua la tête comme pour replacer ses yeux dans leurs orbites et fixa Max une fois de plus. De toute évidence, il se livrait à un travail intense pour reconstituer ses souvenirs. Des rides apparaissaient sur son front puis en disparaissaient, il se grattait la tête, passait une main aux doigts tremblants sur sa figure comme pour en chasser quelque chose. Il avait l'air malheureux.

— C'est tellement vague. Mais j'y suis à présent. Tu es Max et tu cherches quelque chose. La mer, je pense. Mais tu ne peux pas rester là. Il faut appartenir au Club pour bronzer sur cette plage.

Max soupira. Décidément, la personnage n'avait pas qu'un problème de vocabulaire.

— Mais je vous l'ai déjà dit hier, je ne suis pas là pour bronzer. Je cherche le sens de la vie.

Boinnngg!

L'Esclave s'était violemment frappé l'oreille droite, qui prit aussitôt une teinte écarlate.

— Le sens de la vie. Ça me revient maintenant. Oui... le dinosaure... la mer.

Puis il toisa Max.

— Ce n'est pas ici, le sens de la vie. Ici, rien n'a de sens. On arrive blanc, on se couche sur le sable et on repart rouge ou marron, c'est selon. Le sens de la vie, c'est là-bas, dans la mer. Où? Je ne sais pas. Mais cela n'a pas grande importance puisque, de toutes manières, on ne peut pas y aller. C'est interdit. Il faut un bateau et il n'y a pas de bateau. Ici, les bateaux, c'est interdit.

Max sentit les larmes lui monter aux yeux. Il regarda ses orteils à demi enfouis dans le sable, puis il planta son regard humide dans les yeux de l'Esclave.

— Mais alors que vais-je faire?

Sa lèvre tremblante lui donnait l'air d'un bambin coupable qui se retient d'avouer sa faute.

Le visage de l'Esclave se relâcha comme celui d'un général qui vient d'apprendre sa défaite. Les chagrins, les souffrances et les douleurs muettes le

déconcertaient et le laissaient sans force. Les yeux
de Max lui rappelaient ceux de la Femme; il songeait à leur dernier jour, celui où ils avaient tous
deux compris qu'ils ne s'entendraient plus. À travers
la colère qu'il avait lue dans son regard, il avait vu
aussi un grand désarroi et une terreur immense;
mais ni l'un ni l'autre ne disposaient plus des mots
qui auraient pu les rassurer. Ils s'étaient alors tourné
le dos et il avait senti que désormais, le poids du
monde portait sur ses épaules.

Voilà ce que disaient les yeux de Max. Ils trahis-
saient le même désespoir, les mêmes interrogations
silencieuses, les mêmes reproches que ceux de la
Femme, jadis.

L'Esclave paraissait livrer en son âme un amer
combat; les grimaces de sa bouche, les tressaute-
ments de ses paupières et les plis qui naissaient sur
son front témoignaient de l'âpreté de la lutte. Enfin,
dans un ultime effort, il dit:

— Il y a les mé... les mé...

Boinnngg!

— Les méduses.

— Les méduses? répéta Max sans savoir s'il devait rire ou pleurer.

Alors l'Esclave s'agenouilla de sorte que sa
bouche fût à la hauteur des oreilles de Max.

— Là-bas, au bout de la plage, chuchota-t-il, se
trouve une colonie de méduses géantes. Elles se
regroupent le long du rivage pour disputer aux
crabes les déchets que les bronzeurs abandonnent
dans le sable.

— Et alors? dit Max.

— Alors, dit l'Esclave avec difficulté, supposons,

bien que ce soit interdit, que tu atteignes cet endroit; supposons en outre, ce qui est peu probable, que je regarde ailleurs; supposons enfin, ce qui est presque impossible, que tu t'empares d'une méduse, il y aurait alors une chance sur un million pour que cette méduse effarouchée s'éloigne vers la haute mer et là, qui sait, peut-être trouverais-tu ce que tu cherches.

— Mais comment s'empare-t-on d'une méduse?

— Je ne l'ai jamais fait, dit l'Esclave, mais on m'a dit qu'il suffit de monter dessus pour qu'elles prennent le large.

L'Esclave se remit sur ses pieds et promena un regard autoritaire sur la plage. Son attention fut immédiatement saisie par une drôle de bête qui s'agitait dans le sable, comme pour s'y enfouir.

— Tâche de ne pas te faire remarquer, dit-il à Max doucement, du bout des lèvres. Moi, je te laisse et je ne te connais pas. D'ailleurs, je pense que j'ai un problème à régler.

Puis, reprenant sa voix éclatante, il se dirigea vers l'animal.

— Qu'est-ce que c'est que cette engeance? hurla-t-il. On fornique sur ma plage?

Les mouvements cessèrent et une tête apeurée se tourna vers l'Esclave. C'était un jeune homme aux cheveux gominés qui ne portait pour tout vêtement qu'une casquette à hélice. Il était étendu à plat ventre sur un autre corps et une paire de cuisses lui enserrait la taille.

— Ici c'est une plage à bronzer, pas une plage à forniquer, reprit l'Esclave qui le toisait de toute sa hauteur.

— Mais nous ne forniquons pas, reprit l'autre sans oser se lever. Nous ne faisons rien de mal, nous faisons l'amour.

Le corps prisonnier sous le sien émit un gémissement et le visage de l'Esclave se contracta en l'entendant.

Max s'approcha pour mieux entendre.

— Quand on fait cela sur une plage à bronzer, cela s'appelle forniquer, poursuivit l'Esclave. Et ici, on ne fornique pas, c'est interdit.

D'un coup de reins, le jeune homme se dégagea de l'étreinte des cuisses dorées en révélant le corps luisant de leur propriétaire: une jeune fille aux cheveux verts et aux yeux pâmés.

— Noooon! protesta-t-elle d'une voix mourante.

L'Esclave tressaillit de nouveau à la vue de ce corps subitement offert au soleil et à sa vue.

— Qu'est-ce que vous avez contre l'amour? dit la casquette en se mettant debout.

— Je n'ai rien contre la... la...

Boinng!

— L'amour, dit l'Esclave, qui n'arrivait pas à détacher son regard de la jeune fille.

— Alors? dit la casquette.

— Alors, rien du tout. Vous forniquez dans un endroit où cela est interdit. Si vous tenez absolument à forniquer, allez au baisodrome ou au foutoir. Ici, c'est une plage à bronzer.

— Mais puisque je vous dis que nous faisons l'amour.

— C'est beau l'amour, c'est doux l'amour, chantonna la jeune fille d'une voix à peine audible.

L'Esclave se mit à gesticuler.

— La... la... la...

Boinng!

— L'amour... comme vous dites, c'est illégal ici.

Max était interloqué. La veille, l'Esclave n'avait pas cessé d'évoquer la bagatelle et voilà qu'il s'en prenait à ceux qui la pratiquaient. Puis il se rappela un vieux bouc qui avait manqué d'en éventrer un plus jeune qu'il avait surpris en train de rendre hommage à une biquette aux yeux clairs. Et il éprouva soudain de la pitié pour l'Esclave.

L'altercation avait attiré d'autres plagistes qui formaient peu à peu un cercle autour du couple pris en faute.

— Laissez-le donc tranquille, dit quelqu'un.

— Ouais! Après tout, ce n'est pas si grave de faire l'amour sur une plage, lança un grand blond.

— Grave ou pas, c'est interdit, tonna l'Esclave.

— Et puis, ça rend le sable tout gluant, surenchérit un jeune homme qui affichait un air dégoûté.

— C'est immoral! dit une grosse femme coiffée d'un turban.

Son ventre tombait jusqu'à mi-cuisse, ses seins, jusqu'au nombril, et elle avait l'air offusqué.

— On voit que vous pratiquez ce que vous prêchez, dit la jeune fille aux cheveux verts, qui se relevait à son tour en chancelant.

— Regardez, ce n'est pas une vraie verte, dit une voix.

Il y eut quelques rires.

La jeune fille rajusta rapidement, en rougissant, la partie inférieure de son maillot.

— Mais... mais je ne vous permets pas, dit la grosse femme.

— Taisez-vous donc, poufiasse, dit le jeune homme qui commençait à s'échauffer.

— D'abord êtes-vous membres du Club? lança quelqu'un.

— Quel club? demanda le jeune homme.

— Ils ne sont pas membres du Club? s'écria la grosse femme.

— Pas membres? dit un escogriffe aux côtes saillantes qui paraissait l'accompagner.

Une rumeur circula dans l'auditoire.

— Ah! vous n'êtes pas membres du Club des Bronzeurs, dit l'Esclave avec un rire mauvais. Votre compte est bon.

— Mais pourquoi serions-nous membres de quoi que ce soit? demanda la casquette. Nous sommes venus sur cette plage pour prendre le soleil et faire un peu l'amour. Il n'y a rien de mal à cela.

— Il y a, dit une petite femme luisante de suif à bronzer, que cette plage est réservée à l'usage exclusif de ses membres qui ont payé leur cotisation et que les cochonneries y sont interdites.

— Quelqu'un fait des cochonneries? demanda un vieux monsieur à la mine chafouine qui s'approchait du groupe en s'appuyant sur une canne.

Un enfant qui s'était glissé au premier rang, entre les jambes des spectateurs, montrait du doigt le sexe encore humide du jeune homme à la casquette.

— Pourquoi il montre son bilboquet, le meussieu? dit-il en riant.

Il reçut immédiatement une gifle qui l'étonna tellement qu'il en oublia de pleurer.

L'Esclave s'énervait.

— D'abord, cachez votre membre, jeune homme, tonitrua-t-il.

— Mais puisqu'il n'est pas membre, lança quelqu'un.

— Chassez-les! Chassez-les, lui et son asperge! cria la grosse femme avec force gestes qui firent trembloter ses chairs.

— Au prix où sont les plages, chassez les parasites!

— Surtout ceux qui font des cochonneries dans le sable!

— Mais quelles cochonneries?

— Ça fornique à qui mieux mieux, sur cette plage.

— Et à l'œil, en plus!

— Pas de pudeur!

— Pas de morale!

— Ça ne respecte rien!

Quelqu'un prit une poignée de sable qu'il lança au visage du jeune homme. Ce dernier vit rouge et se lança sur son assaillant. La foule se resserra. La jeune fille aux cheveux verts sanglotait de rage. Elle se précipita à son tour sur l'adversaire du jeune homme, qui avait perdu sa casquette, et, toutes griffes dehors, entreprit de lui labourer les flancs.

L'Esclave essaya de s'interposer, mais un des spectateurs fut plus rapide que lui. Il avait déjà ceinturé la jeune fille par derrière et l'arrachait à sa proie dont les côtes dégoulinaient déjà de sang. La foule applaudit lorsque, la tenant à bras le corps, il l'envoya planer au-dessus des têtes en hurlant. Il n'en fallut pas plus pour déclencher l'émeute. On aurait dit que les plagistes n'attendaient qu'un signal pour se lancer les uns sur les autres. Il y eut des cris et des hurlements que ponctuait, deçà delà, le bruit sec des côtes qu'on brise d'un coup de talon. Le sable de la plage se teinta de rouge et bientôt, au-dessus du carnage, haut dans le ciel, des points noirs apparurent qui tournaient lentement, en attendant la fin du massacre.

L'Esclave dominait tout le monde, si bien que les moulinets qu'il faisait avec ses bras n'atteignaient personne. Au plus fort de la mêlée, il aperçut Max qui s'était reculé dès les premiers échanges de coups et qui observait la bataille. Il s'arrêta un instant de guerroyer.

— File, hurla-t-il. C'est le bon temps!

Max prit encore du recul puis il fit volte-face et se mit à courir.

La plage formait un large croissant et la distance qui le séparait de la colonie de méduses était considérable. En outre, bon nombre de bronzeurs demeuraient étendus dans le sable de sorte que Max devait louvoyer entre les monticules de chair. Néanmoins, il jeta un coup d'œil par-dessus son épaule. On se chamaillait encore ferme autour de l'Esclave qui, de loin, avait l'air d'un chef d'orchestre passionné.

Max sentit tout à coup une douleur au pied. Il perdit l'équilibre et roula dans le sable.

— Pourriez pas faire attention, espèce de maladroit! Vous m'avez fait un bleu!

Une vieille chose flasque étendue sur une couverture à rayures l'invectivait d'une voix aigre.

Max se confondit en excuses, expliqua qu'il ne

l'avait pas vue et voulut continuer son chemin. Mais la vieille chose ne l'entendait pas de cette oreille. Elle lança un bras décharné et une main osseuse se saisit de la cheville de Max dans une poigne dont la fermeté l'étonna.

— Pas si vite, jeune voyou. Qu'est-ce que vous faites ici? Vous êtes un de ces écumeurs de plages qui profitent du sommeil des honnêtes gens pour leur voler leurs affaires.

Max essayait de se dégager mais n'osait pas y mettre trop d'énergie de crainte de blesser la vieille dame qui s'accrochait à présent des deux mains à son mollet.

— Attendez que j'appelle le gardien, espèce de voleur! Au vol! Au voleur!

Les cris stridents de la vieille hystérique avaient attiré l'attention de quelques individus qui se levaient déjà pour mieux voir de quoi il retournait. Leur curiosité se transforma vite en hostilité et Max crut devoir s'expliquer.

— Je ne suis pas un voleur, tenta-t-il de protester.

— Ils disent tous ça, reprit la vieille, au voleur, au voleur!

Tout en vociférant, elle assurait sa prise sur la jambe de Max qui tirait de son côté pour se libérer.

— Montre-nous ta carte de membre, lança quelqu'un.

— Ouais, ta carte, petite ordure, fit quelqu'un d'autre.

— Il n'a pas une tête à faire partie du Club, ajouta un troisième.

— Mais ils ne pensent qu'à leurs maudites cartes

de membres, dit l'ange qui n'en revenait pas d'indignation.

— On s'accroche à ce qu'on peut, dit Dieu, redevenu philosophe.

— C'est un voleur, un bandit, un vaurien, cria la vieille qui se tortillait aux pieds de Max, sans lâcher prise. Il m'a attaquée!

Alors Max tenta le tout pour le tout. Prenant appui sur sa jambe prisonnière, il donna un grand coup de pied dans les côtes de la vieille, qui relâcha son étreinte pour cracher sa douleur.

— Il m'a frappée, la brute, fit-elle entre deux hoquets.

Mais Max avait déjà détalé, piétinant sans vergogne les corps qui se trouvaient sur son passage.

— Rattrapez-le, c'est un voleur!

— C'est un assassin!

— Il a voulu tuer une vieille femme.

— Vieille vous-même!

Des spectateurs se lancèrent sur ses traces, mais Max avait déjà atteint la ligne de sable dur où ses souliers lui donnaient un net avantage sur ses poursuivants qui couraient pieds nus. À travers le sifflement de l'air dans ses cheveux, il entendait leurs aboiements, ponctués de oufs, de ouilles et de aïes provenant des ventres qu'il foulait au passage. Il n'osait plus regarder en arrière, les yeux rivés sur la pointe de la plage où il distinguait, flottant comme des taches d'huile à la surface de l'eau, des formes rondes que soulevait l'ample mouvement de la mer.

Derrière lui, la meute s'était déchaînée et Max avait l'impression que l'univers tout entier était à ses trousses. La sueur lui piquait les yeux. Plus vite, plus vite. Malgré les cuisses qui s'échauffaient, malgré la douleur à la poitrine, malgré le manque d'air.

Max n'entendait plus la mer. Seulement le bruit sourd de son cœur et, en toile de fond, l'hallali de la horde sauvage.

Il apercevait parfaitement à présent le troupeau de méduses. Il devait y en avoir une vingtaine, mollement balancées par les flots comme des feuilles de nénuphars géants, leurs longs filaments disposés autour d'elles en tutus vaporeux.

Max bondit en avant vers le premier animal, qui se tenait à quelques enjambées du rivage. Espérant qu'il supporterait son poids, il sauta dessus. À sa surprise il fut aussitôt propulsé haut dans les airs. Obéissant à un réflexe, il ouvrit rapidement les bras pour contrôler son vol et atterrit en souplesse sur un deuxième animal qui le propulsa à son tour vers un troisième. De tremplin en tremplin, il atteignit le dernier où il se laissa retomber sur le dos pour amortir le choc et ainsi éviter d'être projeté dans la mer. Il demeura étendu les bras en croix sur la peau élastique agitée de soubresauts, et reprit son souffle. La méduse tressaillit légèrement sous lui et lentement, il vit les nuages se mettre en mouvement. Il se retourna sur le ventre et regarda vers la rive.

D'un côté, la foule enragée se pressait le long de la côte, poings tendus, le menaçant des pires châtiments; de l'autre, la masse grouillante des batailleurs au milieu de laquelle s'agitait l'énorme silhouette de l'Esclave dont on entendait distinctement le cliquetis des chaînes agitées en tous sens; au-dessus, les cercles patients des rapaces qui savouraient déjà leur bonheur.

Les pulsations de la méduse se faisaient plus profondes. L'animal prenait de la vitesse et filait vers le large, là où ciel et mer confondent leur blancheur laiteuse.

Max s'abandonna sur le dos de l'animal. Celui-ci formait comme une corolle peu profonde et son cuir rosâtre était doux au toucher.

Max avait repris son souffle. Il éprouvait un soulagement immense. Il avait échappé à la foule en folie et s'il n'avait pas la moindre idée où le conduirait la méduse, il n'en avait pas moins la certitude qu'il se rapprochait de son but. Cela lui suffisait amplement. Pour le moment, il n'avait qu'une envie: se laisser bercer par cette mer dont il sentait, à travers l'épaisse pellicule du corps de la méduse, les vastes inspirations.

— Voilà une bonne chose de faite, dit Dieu en chassant d'une main preste un vautour un peu entreprenant.

Et l'ange constata que Dieu avait l'air satisfait.

L'air s'était progressivement épaissi et Max se retrouva plongé dans un brouillard pesant. La mer était calme et, n'eussent été les pulsations régulières de la méduse, il aurait pu se croire suspendu dans un monde immatériel.

Il avait vu décroître le rivage; les individus, massés le long de la plage, avaient rapetissé jusqu'à devenir dérisoires, la plage elle-même s'était transformée en une fine ligne blonde à la limite des flots puis la montagne avait à son tour perdu de sa consistance pour s'estomper enfin avant de disparaître tout à fait.

Il avait éprouvé un moment d'anxiété en se voyant seul au milieu de cette immense assiette bleue, sans référence, sans point de repère. Et lorsque, imperceptiblement, il avait pénétré dans ce brouillard opaque, il lui avait semblé que le temps lui-même s'arrêtait.

Jamais Max n'avait ressenti une aussi forte impression d'isolement.

À Privilège-sur-Sonatine, on ne pouvait pas s'égarer. Les hautes falaises qui délimitaient le cratère constituaient des bornes familières au-delà de quoi on pouvait toujours choisir de s'aventurer — la preuve, c'est qu'il était parti — mais qui n'en circonscrivaient pas moins un espace rassurant, même lorsque la promenade vous entraînait vers quelque secteur peu fréquenté.

Lors de la traversée du désert si monotone, si pareil à lui-même jour après jour, Max avait néanmoins eu la certitude de se trouver dans un lieu. En dépit de sa redondante austérité, il s'agissait tout de même d'un territoire concret, avec ses roches, son relief, ses balises naturelles, ses accidents de terrain, ses collines, ses vallées, son sol crevassé et, de loin en loin, ses végétaux desséchés.

Ici, on n'était nulle part. L'ouate épaisse dans laquelle se mouvait la méduse — mais se mouvait-elle vraiment? — avait gommé toute notion d'espace et de temps. Les seules frontières tangibles étaient désormais celles de son propre épiderme, au-delà de quoi rien n'existait plus. L'univers s'était rétréci au point de ne plus tenir que dans sa tête; le monde était devenu une idée, un concept, une notion. Se pouvait-il que le sens de la vie se trouvât dans ce néant?

Pourtant non.

La méduse existait, vivait sous lui, se gonflait et s'enflait au rythme monotone de sa progression sur l'eau. L'eau aussi existait, qu'il pouvait toucher en étirant le bras. Et lorsque Max y laissait pendre sa main, il la sentait filer entre ses doigts. Cela signifiait donc qu'on avançait, qu'on se dirigeait vers un ailleurs. Mais où?

La brume était si épaisse qu'elle se condensait sur son visage et chatouillait ses joues.

Max passa sa main sur ses pommettes. Il ressentit une sensation nouvelle, comme s'il touchait la peau d'un autre. Il laissa un instant sa main errer sur son menton. Quelque chose avait changé. Le contact était doux mais d'une douceur différente. Cela rappelait la peau de certains fruits qui ne sont ni lisses comme les pommes ni rudes comme les oranges. Pas d'erreur: toute cette portion de peau était recouverte d'un fin duvet. Ses premiers poils. Sa première barbe.

Des larmes lui montèrent aux yeux. Le chatouillement dans sa main évoquait l'image de son père; une image nette, franche, celle d'un homme en chair et en os qui se rasait au-dessus de l'évier de la cuisine dans la maison de Privilège-sur-Sonatine. Pendant que l'eau chauffait sur le poêle, il affûtait son rasoir sur une lanière de cuir fixée en permanence à un crochet vissé au mur. Il entendait le schlak-schlak de la lame dont il ne percevait que l'éclair fugitif tant le mouvement était rapide. Puis son père versait l'eau chaude dans un grand bol de porcelaine, s'en humectait le visage et entreprenait de s'enduire d'une mousse savonneuse que le blaireau épaississait à vue d'œil. Cette opération durait longtemps, comme si l'homme voulait étirer son plaisir. Ensuite, il saisissait la lame entre le pouce et l'index et la promenait avec dextérité sur toute la partie blanche. La manœuvre était délicate et Max s'émerveillait chaque fois de la finesse et de la précision des gestes. La main ressemblait à un papillon qui voletait autour des joues sans jamais y toucher.

Max entendait le raclement du rasoir qui tranchait les poils à la racine et petit à petit émergeait de sous la mousse un nouveau père au visage rose qui remplaçait l'ancien, à qui des joues bleuies donnaient un air sévère. Il se rinçait ensuite à l'eau froide, et au lieu de s'éponger, il faisait tournoyer rapidement la serviette à quelques centimètres de son visage, créant ainsi un mouvement d'air qui asséchait sa peau.

Enfin, il nettoyait méticuleusement rasoir et blaireau avant de les déposer, avec le respect qu'on a pour les objets précieux, dans un étui de cuir qu'il rangeait dans le tiroir de la commode à côté de la coutellerie d'argent de sa mère.

Pour la première fois depuis son départ, Max se demanda, non sans nostalgie, s'il reverrait jamais son père. Et pour la première fois, il s'aperçut qu'il demeurait attaché, si ténu fût le lien, au cratère de ses origines.

Le son qui résonna tout près de lui le fit sursauter et l'image de Privilège-sur-Sonatine s'effrita.

C'était une succession de notes ascendantes, un arpège cristallin qui jaillissait de l'air lourd comme un signal de brume.

— Ohé, fit Max, je suis là.

L'arpège se fit de nouveau entendre, plus rapide.

Max se dit qu'il s'agissait sûrement d'un oiseau et au lieu d'appeler, il s'efforça de siffler en imitant la même ligne mélodique.

L'arpège retentit de nouveau, plus proche cette fois.

Max siffla encore.

Il s'ensuivit une sorte de dialogue avec l'invisible qui mit Max en joie.

Après une douzaine d'échanges, Max perçut un bruissement semblable à celui d'un livre dont on feuillette rapidement la tranche.

— Ici, je suis ici, dit Max en se dressant sur le dos de la méduse au risque de perdre l'équilibre.

Alors, dans un froissement d'ailes, apparut l'oiseau qui se matérialisa à la limite de deux mondes.

Max eut un mouvement de recul, mais le regard paisible de l'oiseau et son absence visible d'intentions hostiles le rassérénèrent.

Il avait reconnu une isaacsterne tout à fait conforme aux illustrations qu'il en avait vues dans ses livres de sciences naturelles. Elle avait à peu près la taille d'une grosse poule. Le corps, plus allongé que rond, était couvert de plumes si fines qu'elles semblaient un pelage. L'illusion était d'autant plus grande que leur teinte de brun aux reflets d'huile imitait la robe de certains animaux à fourrure. Deux taches noires en forme d'esses marquaient la poitrine de part et d'autre du puissant sternum. Le col, également d'un noir d'ébène, se prolongeait en un bec bleu clair surmonté d'un œil brillant d'intelligence que soulignait un ourlet de plumes de bronze.

— Salut, Max! dit l'oiseau en lissant quelques pennes rebelles. J'ai mis du temps à te trouver. C'est grand la mer et ça paraît encore plus vaste quand on n'y voit rien.

— Tu me cherchais? demanda Max, aussi étonné d'entendre parler l'oiseau que de se faire appeler par son nom.

— Oui et non. J'ai su que tu te trouvais dans les parages. Et comme c'est mon territoire, je me suis dit qu'avec un peu de chance, nos routes pourraient se croiser. On n'a pas beaucoup de compagnie en mer. Alors voilà.

L'isaacsterne continuait de lisser ses plumes comme si de rien n'était. Elle fit quelques pas vers le centre de la méduse et agita le derrière comme une poule qui s'apprête à couver ses œufs.

— C'est bien beau, le vol, mais ça fait quand même du bien de s'arrêter.

— Qui vous a dit....

— Tu peux me tutoyer, Max, les rencontres fortuites en mer dispensent des civilités de la vie terrestre.

— Qui t'a dit mon nom?

— Mais on ne parle que de toi, mon vieux Max. Les hirondelles de Gabou en ont parlé aux aigles qui ont transmis le message aux mouettes du rivage qui en ont informé un albatros de mes amis. Une connaissance plutôt, parce que les albatros n'ont pas vraiment d'amis. Depuis qu'un poète leur a consacré quelques vers et parce qu'ils peuvent tenir l'air des mois durant, ils se prennent pour les joyaux de la création. Encore faut-il les voir au sol. Navrant! Où vas-tu comme ça? On m'a dit des tas de choses à ton sujet, mais l'expérience m'a démontré qu'on aurait tort de se fier aux rumeurs, surtout à celles que colportent les mouettes. Elles inventeraient n'importe quoi pour se rendre intéressantes.

— Je ne sais pas où je vais. Il faut demander à la méduse. J'ai l'impression de n'être nulle part. Où sommes-nous?

— Difficile à dire. C'est le genre de question qu'on ne se pose guère, nous, les isaacsternes. On dit que tu cherches quelque chose.

— Je cherche le sens de la vie.

— Ah! C'était donc vrai.

L'œil de l'oiseau s'embruma. Cela ne dura qu'un moment, mais Max avait eu le temps de remarquer cette lueur sombre.

— On dirait que cela t'ennuie.

L'oiseau se ressaisit.

— Pas du tout. Le sens de la vie, c'est important. Du moins je pense. Pour ma part, je ne me suis jamais arrêtée à la question, mais il est vrai que je ne suis qu'un oiseau et que nous avons d'autres chats à fouetter, pour ainsi dire. Je casserais bien une petite croûte. Pas toi?

Max se rendit compte qu'il avait faim. Le dernier brochemplume n'était plus qu'un souvenir.

— Qu'est-ce qu'on mange? demanda l'isaacsterne d'un ton faussement innocent.

Max évita le regard de l'oiseau. Il se rendait subitement compte qu'il avait subsisté jusqu'à présent grâce aux brochemplumes. Mais il n'osait pas, devant l'isaacsterne, lancer un cri brownien, encore moins l'inviter à déguster un de ses congénères.

— Heu... je n'ai rien apporté.

L'œil de l'oiseau s'alluma d'une lueur à la fois perverse et ironique.

— Ça cherche le sens de la vie et ça ne pense même pas à la sustenter. Ce n'est pas très sérieux.

Max était de plus en plus troublé.

— C'est que, jusqu'à présent, je n'ai pas eu besoin de grand-chose. Je mangeais des champignons, des framboises, des fraises quand j'en trouvais...

— Le coup des lys des champs et des oiseaux du ciel, dit l'oiseau, moqueur.

— Il a fréquenté les bons auteurs, dit l'ange.

Dieu se contenta de sourire d'un air entendu.

— Je me satisfais de peu, mentit Max, de plus en plus mal à l'aise.

L'oiseau fit entendre une cascade de grelots qui était sa manière de rire.

— Pardonne-moi, mon vieux Max, je n'ai pas pu résister. Je sais que tu te nourrissais de brochem-plumes. Rassure-toi, ce n'est pas moi qui t'en ferai le reproche. Ce sont les créatures les plus bêtes de la terre. Tout dans les ailes, rien dans la tête! Cette volaille n'est même pas capable de tenir une con-versation. Le problème, c'est que les brochem-plumes ne volent pas au-dessus de la mer. J'espère que tu aimes le poisson.

— Oui, mais je n'ai rien pour en attraper.

— Qu'à cela ne tienne, dit l'oiseau en gonflant la poitrine. Une isaacsterne n'est pas uniquement une bête décorative.

L'oiseau déploya ses ailes et sans effort visible s'éleva dans la brume qui l'absorba aussitôt. Max entendit son arpège suivi d'un plouf étouffé.

Max fouillait le brouillard. L'inquiétude lui cha-touillait de nouveau le ventre. L'oiseau réapparut au bout d'une minute, un poisson dans le bec.

— Tiens, mange, c'est du hareng, dit-il en lais-sant tomber le poisson qui rebondit sur l'épiderme élastique de la méduse.

— Cru?

— Évidemment, cru. Tu ne vas pas commencer à faire le difficile. C'est très bon et puis c'est plein de vitamines.

Max répugnait à mordre dans cette chair encore

vivante, mais la faim eut raison de ses dernières résistances. Après tout, les moules d'eau douce qu'on trouvait parfois dans les sables de la Sonatine n'étaient guère plus ragoûtantes et pourtant, il les mangeait toutes vives, sans sourciller.

— La vie nourrit la vie, dit l'isaacsterne.

— Ch'est bon, dit Max, la bouche pleine.

— La mer prend grand soin de tout ce qui vit, répondit l'isaacsterne.

— Il me ressemble un peu, cet oiseau, dit l'ange à Dieu.

— Tu trouves? répondit Dieu.

Il observa l'isaacsterne avec un peu plus d'attention puis Il releva la tête.

— Tu as peut-être raison. Vous avez effectivement un air de famille.

L'ange sourit et bomba le torse.

— Les plumes, sans doute, ajouta Dieu, pervers.

L'ange toussota comme une dévote pincée. Dieu fit celui qui n'avait rien remarqué, ce qui ne l'empêcha pas de sourire dans sa barbe.

Max regarda l'oiseau, pensif. Le brouillard devenait brumaille et on commençait à apercevoir la surface noire de l'eau tout autour de la méduse qui poursuivait, imperturbable, son voyage vers l'inconnu.

— Où se trouve le sens de la vie? demanda-t-il à brûle-pourpoint.

L'oiseau sursauta. Il pencha un peu la tête et prit un air un peu niais.

— Je te l'ai dit, Max. Nous, les oiseaux, sommes des créatures plutôt vaines et ce genre de choses nous dépasse. Est-ce que tu n'as pas un peu sommeil? Le brouillard se lève, mais la nuit tombe. Moi, la nuit, je dors.

L'oiseau avait fait mine de fermer les paupières, mais il continuait d'observer Max à travers une mince fente. Ce dernier avait l'air songeur. Il sentait que l'isaacsterne lui cachait quelque chose et, devant son obstination à se faire passer pour plus bête qu'elle n'était, il n'avait d'autre choix, pour le moment, que de se laisser emporter par la méduse.

Comme il fermait les yeux, bercé par le doux tangage, Max s'avisa tout à coup qu'il n'avait éprouvé aucune difficulté à converser avec l'isaacsterne. Parlait-il oiseau ou parlait-elle humain?

Il aurait bien voulu le lui demander sur-le-champ, mais ses yeux demeurèrent obstinément clos et ses lèvres engourdies refusèrent de s'ouvrir.

Max ne savait plus depuis combien de temps il vivait sur le dos de la méduse. Les jours et les nuits s'emboîtaient les uns dans les autres, marqués seulement par des différences de lumière. Le temps restait au beau, la mer, toujours pareille, et la méduse ondulait avec une telle régularité qu'il n'avait plus conscience de ses mouvements.

Max consacrait le plus clair de son temps au sommeil.

Au début, il avait passé des heures à scruter l'horizon, à plisser les yeux pour lire au loin sur cette ligne monotone la moindre irrégularité, la plus petite incartade à l'uniformité qui eût traduit la présence d'une côte, d'une île, de quelque chose dans ce néant liquide et bleu. Mais bien vite l'isaacsterne lui avait laissé entendre qu'il perdait son temps et Max avait renoncé à cette activité qui n'en était pas une.

— De toutes façons, avait dit l'oiseau, que ferais-tu si tu apercevais quelque chose? La méduse n'obéit qu'à elle-même. Ce n'est pas un bateau, c'est un animal.

Max dut convenir que l'oiseau n'avait pas tort.
Il était là sur le dos de l'acalèphe — c'est ainsi
qu'on appelle les grandes méduses, lui avait appris
l'oiseau — comme un pou sur un crâne. Il n'avait
même pas la certitude que l'animal perçût sa
présence. Certes, elle avait senti son poids à l'ori-
gine, cela expliquait qu'elle se fût dirigée vers la
haute mer, mais le sentait-elle toujours? Emmenait-
elle Max dans un endroit précis pour s'en débar-
rasser ou n'obéissait-elle qu'à un instinct primaire
qui la poussait à nager jusqu'à l'épuisement? Si encore il avait pu communiquer avec elle ou orienter
sa course comme un cavalier dirige sa monture.
Mais cette masse dense et compacte de chair géla-
tineuse manifestait une totale insensibilité aux tentatives de Max d'établir un contact avec elle. Ni les
caresses, ni les coups de pied, ni les paroles, ni les
hurlements n'avaient provoqué la moindre réaction.

Pour le reste, à part l'espace qui était restreint,
Max ne manquait de rien. L'isaacsterne s'envolait de
temps en temps sans prévenir et revenait au bout
de quelques minutes avec un poisson gigotant dans
son bec. Elle prenait soin de varier les menus, faisant alterner harengs et maquereaux avec une occasionnelle bonite à condition que celle-ci fût
petite. Max commençait à développer un véritable
goût pour ces chairs délicates qui suffisaient amplement à combler ses besoins.

Le temps se réchauffait. Quelquefois, un banc
d'exocets fendait la surface de l'eau et faisait un
bout de conduite à la méduse, mi-nageant mi-
volant, avant de disparaître comme il était venu,
sans s'annoncer.

L'isaacsterne faisait alors entendre son arpège joyeux et accompagnait parfois dans leur vol les gracieux poissons d'argent puis revenait se poser près de Max, comme le faucon sur le poing du chasseur.

On faisait aussi la conversation. Max apprit que l'isaacsterne parlait poisson tout aussi bien qu'elle maniait la langue des hommes.

— Quant on vit surtout dans les airs, on a peu de contacts avec le reste du monde. Connaître la langue de ceux qu'on rencontre de loin en loin devient un avantage. On trouve ainsi le temps moins long.

— Mais pourquoi passez-vous tout ce temps au-dessus de la mer, toute seule, alors qu'il serait si facile pour vous de voler vers la terre avec les mouettes et les goélands?

— Le plaisir, mon vieux Max. Le pur plaisir de voler. Tu ne peux pas savoir ce qu'on éprouve quand on peut se mouvoir dans toutes les directions en toute liberté. En outre, ça donne le temps de penser. Quand on plane entre ciel et mer avec le bleu au-dessus et le bleu en dessous, on est moins distrait par le paysage et l'esprit peut s'envoler en même temps que le corps. Et puis, entre nous, les mouettes ne sont guère fréquentables. Ce sont les rats de l'air. Leurs cris sont insupportables. Et commères avec ça. Chaque fois que j'en entends une, je file au large.

— À quoi pensez-vous ainsi dans les airs? Au sens de la vie?

Max avait tenté à plus d'une occasion d'orienter la conversation sur ce qui le préoccupait le plus

dans l'existence. Mais l'oiseau se montrait à cet
égard d'une pudeur extrême; il se dérobait sous le
plus futile prétexte: le passage d'un nuage dans
lequel il avait cru distinguer une figure, le panache
d'un souffle de baleine, une fringale subite, ou bien
il feignait tout simplement de dormir. Après
quelques tentatives infructueuses, Max avait compris qu'il n'en tirerait rien. Cela ne laissait toutefois
pas de l'agacer, surtout quand il trouvait le temps
long.

Un matin — mais était-ce bien le matin? — Max
crut apercevoir une tache sombre au loin. Il en
informa aussitôt l'isaacsterne, qui regarda le point
noir d'un œil distrait.

— C'est un bateau je crois, ou peut-être un radeau, dit-elle d'un ton désabusé.

Alors Max sentit gronder en lui une colère qui
l'étonna lui-même.

Dieu poussa l'ange du coude.

— Attention, dit-il, cela pourrait se corser.

L'ange, qui avait sorti sa lyre pour tuer le temps,
cessa de jouer.

— C'est tout l'effet que ça te fait, hurla Max. On
navigue sur cette boule de gélatine depuis je ne sais
trop combien de jours, de semaines ou de mois et
voilà qu'on aperçoit peut-être des humains et tu ne
réagis pas.

L'objet s'était rapproché. Max vit qu'il s'agissait
bien d'un radeau équipé d'une voile grossière dont
les occupants étaient étendus pêle-mêle, les uns sur
les autres, certains laissant même un bras ou une
jambe pendre dans l'eau.

— Mais Max, fit l'oiseau un peu étonné, pourquoi veux-tu que je me soucie des humains? Je suis une isaacsterne. Combien de vaisseaux, combien de capitaines n'ai-je croisés depuis que je suis en âge de voler. S'il avait fallu que je m'en émeuve chaque fois, je ne vivrais plus que pour eux. Fais-leur des signes si ça te chante puisqu'ils sont de ta race, mais crois-tu vraiment qu'ils ont des choses à t'apprendre? Si j'en juge par leur mine, ce sont probablement des naufragés. Regarde-les, ils puent la misère. Ils crèvent de faim et de soif. Ils vendraient leur âme pour de la nourriture. Si tu penses pouvoir les tirer d'affaire, plonge à leur rencontre, mais sois prévenu: ils ne rêvent que de viandes et de volailles et à leurs yeux, nous sommes, toi et moi, l'un et l'autre.

Max regarda l'isaacsterne avec horreur puis son regard suivit le radeau qui passait à moins de cent mètres de la méduse. Il vit des visages hagards se tourner vers lui. C'étaient des hommes barbus et échevelés. Ils étaient une vingtaine; leurs corps, couverts de crasse et luisants des sueurs de la fièvre, portaient les marques de longues privations. Certains étaient nus jusqu'à la ceinture, d'autres n'avaient plus de vêtements du tout. Plusieurs d'entre eux n'avaient plus la force de se tenir debout. Un jeune garçon imberbe gisait sur les planches rugueuses, la poitrine renversée hors du radeau. Sa tête disparaissait sous l'eau.

Sitôt qu'ils aperçurent Max, les plus valides se massèrent autour d'un tonneau et agitèrent dans sa direction des morceaux de vêtements, comme des drapeaux. Max entendit leurs cris que le vent porta jusqu'à lui.

— Regardez le joli poulet.

— Oh! le beau cochonnet!

— Viens, mon petit, montre-nous ton cul dodu.

— Et tes jambonneaux!

— Il a un canard avec lui! On pourrait le farcir avec!

Max frissonna. Les yeux exorbités de ces hommes épuisés luisaient de désirs féroces, leurs visages grimaçaient d'une joie mauvaise. Comble de l'horreur, l'un d'eux tenait dans ses mains ce qui paraissait être un bras qui n'était pas le sien. Et sa figure était couverte de sang.

Mais ce qui le troubla davantage, c'est qu'il reconnaissait dans ces regards les lueurs obscènes qui illuminaient d'une même exultation haineuse les faces congestionnées des spectateurs du cirque, le soir de son départ de Privilège-sur-Sonatine. Max s'aplatit contre le dos de la méduse afin de disparaître aux yeux des naufragés.

— Crève donc, petite ordure!

Puis s'élevèrent des hurlements de rage auxquels se mêlèrent ce qu'il prit pour des sanglots de colère. Il ne voulait pas les entendre, mais même en serrant comme dans un étau ses oreilles dans ses mains, elles résonnaient au milieu de son crâne comme autant de reproches.

— Tu nous abandonnes!

— Boucher!

— Bourreau!

— Espèce de sans-cœur!

— Vaurien, bandit, scélérat!

Max ne releva la tête que lorsque le son de ces voix odieuses eut complètement disparu.

— Ces hommes sont méchants, dit-il d'une voix blanche.

Puis il ajouta:

— Mais ce sont tout de même des hommes.

— Ils sont fous, dit l'isaacsterne, fous de douleur et de peur. Lorsqu'ils sont réduits à la dernière extrémité, les hommes ne pensent plus qu'à survivre. La vie devient sauvage dans ces moments-là. C'est sa manière de s'accrocher à elle-même.

— Tu n'aimes pas beaucoup les hommes? dit Max tristement.

— Non, Max, j'aime tout ce qui vit. Mais je suis réaliste. J'ai vu des requins se dévorer entre eux, des oiseaux affamés se jeter sur leurs propres œufs pour s'en nourrir, des phoques se battre à mort pour quelques mètres de plage désolée. Quand la vie se sent menacée, il n'y a plus de règle qui tienne.

— Mais tu pourrais voler jusqu'à eux pour leur rendre le même service qu'à moi? Tu pourrais leur donner des poissons et ils seraient sauvés.

L'oiseau se redressa sur ses pattes.

— Sans doute. Consens-tu à ce que je t'abandonne pour aller m'occuper d'eux, Max? Parce que, vois-tu, je ne puis être partout à la fois.

— Ce n'est pas donné à tout le monde, dit l'ange, à qui Dieu signifia immédiatement de se taire.

— Et puis, continua l'oiseau, j'ai aussi mon destin. Il est lié au tien.

— Comment donc? demanda Max.

— Parce que je l'ai choisi. Si je ne puis être utile à tous, je puis l'être pour toi.

Max réfléchit. Sans l'isaacsterne, il n'irait pas loin. Mais la pensée de ces hommes en détresse le troublait. Ils n'avaient pas décidé d'être là. Ils n'étaient pas responsables de leur malheur. N'étaient-ils pas des victimes? Et pourquoi leurs souffrances les rendaient-ils tellement haïssables? Max fixait l'horizon, accablé. Le radeau n'était plus qu'un point minuscule qui bientôt se dissoudrait dans le lointain. Peut-être n'avait-il été qu'un fruit de son imagination. Peut-être n'existait-il pas réellement. On dormait tellement sur cette méduse que cette vision pouvait très bien n'avoir été qu'un cauchemar. Peut-être. Peut-être.

— Il ne faut pas t'en vouloir, dit l'isaacsterne. Il y a des choses contre quoi on ne peut rien.

Un roulement sourd se fit entendre au loin qui interrompit son discours. Au même moment, Max sentit sous ses cuisses un tressaillement inhabituel. Le mouvement de la méduse avait été jusqu'à présent d'une telle régularité qu'il ne le sentait plus. Mais voilà qu'elle paraissait éprouver des ratés. L'oiseau s'en aperçut aussi. Il tourna la tête dans toutes les directions pour essayer d'identifier d'où provenait le bruit.

— Là-bas, dit Max en montrant du doigt un amoncellement de nuages noirs qui roulaient vers eux.

L'isaacsterne déploya ses ailes et s'éleva de quelques mètres pour mieux juger de la situation. Max l'entendit moduler un arpège sur un mode d'angoisse. Puis l'oiseau se déposa lourdement sur le dos de la méduse, non sans peine à cause du vent. Il avait l'air effaré.

— Que se passe-t-il, demanda Max inquiet, un orage?

— S'il n'y avait que cela, fit l'oiseau. Regarde.

Son bec indiquait à la surface de l'eau une tache sombre qui avançait dans leur direction.

Un éclair silencieux illumina de l'intérieur la masse des nuages et le grondement du tonnerre parvint quelques secondes plus tard aux oreilles de Max.

— Ça ressemble à une tache d'huile.

— Je voudrais bien, dit l'oiseau qui s'énervait de plus en plus.

— Mais de quoi s'agit-il? demanda Max, que la nervosité de l'oiseau commençait à gagner.

— Des ornithovores, dit l'oiseau en tremblant.

— Des quoi?

— Ce sont des algues perverses qui se nourrissent d'oiseaux. Il faut être bien habile pour leur échapper.

— Alors, file. Prends de l'altitude et reviens quand elles seront passées.

L'isaacsterne paraissait indécise. Ses yeux affolés allaient de la nuée noire qui s'approchait au banc sombre des ornithovores dont on devinait maintenant le feuillage à la surface de l'eau. Elle se blottit entre les jambes de Max.

— Si je pars, je ne te retrouverai pas au milieu de l'orage.

Max se sentit à son tour envahi par la peur. La houle se faisait plus forte et les vagues commençaient à montrer leurs crêtes blanches que le vent échevelait aussitôt. Il sentait la méduse se raidir pour résister à la poussée des flots qui la soulevaient sans peine.

Des boules blanches, apparemment indolentes comme des fleurs de nénuphars, flottaient au milieu du banc de feuilles, ballottées par les vagues.

L'isaacsterne se pressa contre Max.

— Elles m'ont aperçue, dit-elle.

L'oiseau, qui avait affiché jusqu'à présent un détachement cynique, cherchait à se glisser sous les cuisses de Max. Il frissonnait de terreur.

Max s'agrippait des deux mains à un pli dans la peau de la méduse.

— Envole-toi, l'oiseau, cria-t-il pour couvrir les sifflements du vent.

Il n'entendit pas la réponse de l'oiseau à cause du coup de tonnerre qui suivit.

Les premiers nuages étaient parvenus juste au-dessus de leurs têtes comme des éclaireurs qui annoncent le gros de l'artillerie. Le vent charriait des paquets de mer qui s'abattaient sur la méduse; celle-ci restait inerte, comme assommée, et les soubresauts que Max sentait à travers son corps étaient ceux de l'océan qui s'éveille.

Le banc d'algues ornithovores continuait son inexorable progression vers la méduse, indifférent à la violence des flots.

— Mon vieux Max, dit l'oiseau en tremblant, je pense que les réponses à toutes tes questions ne tarderont plus guère.

L'ange se sentit tout à coup angoissé.

— Faut-il vraiment en arriver à cela? demanda-t-il.

Il frottait nerveusement ses mains l'une sur l'autre et sa voix chevrotait.

— Quand bien même Je voudrais éloigner ce

calice, répondit Dieu avec un calme olympien, Je ne le pourrais pas, tu le sais bien. Je ne l'ai jamais pu, Je ne le pourrai jamais. Tu connais Mes principes; toute chose a son prix. Pour connaître le sens de la vie, on doit l'acquitter à l'avance.

L'ange courba profondément la tête dans une attitude de soumission, mais en réalité, c'était pour éviter que Dieu ne le vît pleurer.

La vague arriva comme une montagne en mouvement.

Elle était plus haute que les plus grands arbres que Max eût jamais vus à Privilège-sur-Sonatine. Elle était plus haute que l'Esclave, plus haute que Gabou. Plus bruyante aussi. Elle grondait, gémissait, hurlait, tonnait, fulminait, vociférait, sacrait, tonitruait, criait, gueulait, trompetait comme si tous les bruits de la création l'avaient habitée.

Max sentit le cœur lui manquer.

L'isaacsterne, obéissant à un réflexe, déploya ses ailes. Le vent s'y engouffra aussitôt et la souleva sans effort. À ce moment précis, Max aperçut une multitude de vrilles surgir du banc d'ornithovores qui se trouvait presque à la verticale. Chacune des petites sphères qui ressemblaient à des fleurs de nénuphar avait lancé la sienne.

— Attention, l'oiseau!

Mais le tumulte de l'orage avait couvert sa voix.

Les vrilles, portées par le souffle du typhon, s'enroulèrent autour des pattes de l'isaacsterne au moment même où elle donnait un grand coup d'ailes pour s'élever au-dessus du danger.

Elle jeta un œil étonné sur ses pieds qui refusaient de suivre le mouvement ascendant et comprit aussitôt que tout effort était désormais vain.

Max voulut se lever pour la secourir mais, déséquilibré par le vent, il chuta sur le dos glissant de la méduse.

Alors le vent parut se taire sans pour autant décroître et, dans un silence agité, Max entendit un chant désespéré qui avait quelque chose de définitif, une succession de longs sanglots d'une tragique beauté.

Rares sont ceux qui ont été témoins de la mort d'une isaacsterne. Ceux-là rapportent que le grand cri, qu'elle émet dans cet ultime instant où elle réalise que tout est consommé, plonge l'auditeur dans une tristesse immense, incommensurable, comme si cette unique combinaison de sons déclenchait par résonance des vibrations qui oscillent à la fréquence du désespoir et de la lassitude de vivre. Le corps tout entier perd son tonus, les muscles se relâchent et l'esprit plonge dans une telle morosité qu'il renonce subitement à tout.

Même la peur abandonna Max. Tout d'un coup. Et les ténèbres prirent possession de son âme.

L'isaacsterne tendit son col vers le ciel avant de jeter un dernier regard vers Max. Sa face était empreinte d'une immense résignation, ses yeux bordés de bronze avaient perdu leur pli moqueur et son chant s'élevait en modulations funèbres pendant que les vrilles l'attiraient vers le mur d'eau couvert de feuillage sombre qui l'avala.

L'instant d'après, le rouleau de la vague submergeait la méduse et Max, pantelant, presque inerte,

disloqué, se retrouvait membres emmêlés, bruta-
lement secoué dans une écume tourbillonnante au
milieu d'un silence sépulcral.

Il battit des bras, grenouilla des deux jambes.

Des lumières fulgurantes, éclairs silencieux
jaunes, rouges et bleus, zigzaguèrent devant ses
yeux comme des moustiques autour d'une lanterne
durant les nuits d'été. Ses membres s'agitèrent avec
fureur, cherchant un appui toujours fuyant pendant
que ses doigts essayaient de s'agripper à l'écume
mouvante.

Une douleur aiguë déchira sa poitrine et s'accentua encore lorsque l'air se força un chemin vers
la liberté, hors de l'insupportable prison de ses poumons, à travers ses lèvres qu'il tentait de garder
closes avec toute la force dont il était capable.

Cria-t-il? Put-il entendre son propre hurlement
dans cette eau agitée? Sans doute, puisque des centaines de poissons furent tout d'un coup projetés
vers la surface, l'épine dorsale rompue, la vessie
natatoire crevée.

Max sentit un goût de sel envahir sa bouche et
l'eau s'engouffra en trombe dans sa poitrine offerte.

— C'est affreux! dit l'ange, le visage bouleversé
d'une sainte horreur.

— Affreux? dit Dieu. Non. Mais Je conviens que
c'est assez impressionnant.

La douleur disparut comme elle était venue.

Une grande paix s'empara du corps de Max.

Couché sur le dos, les membres relâchés, il
ouvrit grands les yeux. Au-dessus de lui, dans la
lumière opaline, l'écume roulait comme les nuages
au-dessus du cratère où méandrait sa Sonatine.

Il entendit des voix dans le lointain, celle de La Linotte appelant ses chèvres, puis un rire cristallin qui aurait pu être celui de sa mère, bien que jamais il n'eût entendu sa mère rire de cette manière. Elle riait, lui sembla-t-il, pour la première fois.

Un autre rire, plus grave celui-là, se mêla au premier. Il reconnut celui de son père, débarrassé de ces harmoniques grasses et vulgaires qui l'avaient tant outré cette dernière nuit, quand le cirque avait donné son spectacle.

Il entendit la voix de Pavoni, le maître de piste, annoncer le lancer du nabot. Nulle révolte ne le secoua. Il esquissa même un sourire quand il reconnut, sous la tignasse du nain roulé en boule aux pieds de Pavoni, le visage de son père. Il vit le regard atterré de ce dernier quand le maître de piste le propulsa vers le ciel. Il entendit distinctement le sifflement de l'air lorsque la boule de chair humaine traversa l'espace et vit le projectile éclater contre le chapiteau en une immense gerbe de poussière lumineuse.

Des applaudissements fusèrent et chacun des minuscules points de lumière devint une étoile filante dans le firmament noir.

Max ne pouvait tous les suivre tant ils s'éloignaient les uns des autres à des vitesses défiant l'imagination. Certains disparurent presque immédiatement; d'autres, plus petits, ralentirent leur course et parurent se stabiliser. D'autres encore perdirent de leur luminosité, de blancs devinrent jaunes puis rouges et enfin s'éteignirent comme les étincelles d'un feu de camp qui prennent leur envol et renoncent, faute de combustible, à réaliser leurs rêves.

Max sentait la pression de l'eau qui collait ses bras contre ses flancs et ramenait ses jambes l'une contre l'autre. Il n'éprouvait aucune envie de lutter contre cette force qui le caressait plus qu'elle ne l'oppressait. Le temps n'était plus à la guerre. Un extraordinaire spectacle se déroulait devant lui dont il ne voulait pas manquer une seconde.

Du fond de son esprit confus, une seule évidence: il touchait du doigt ses réponses. Sa réponse.

Tout à coup, Max se sentit soulevé. Aspiré plutôt. Aspiré vers le haut, vers ces points ardents qui s'ordonnaient en spirales, en cercles, en masses gigantesques, chacun animé de son mouvement propre, chacun propulsé dans une direction précise.

Le mouvement ascendant s'accentua, s'accéléra jusqu'à atteindre une vitesse que Max n'aurait jamais cru possible. Pourtant, nul vent sur sa peau, nul sifflement à ses oreilles, nulle douleur. Le silence. Il naviguait au milieu d'un silence absolu, neuf. L'eau devenue silence.

Autour de lui, à travers lui, passaient des corps étranges, lumineux, immatériels et fulgurants.

Devant, loin devant, une sphère incandescente et immobile paraissait attendre. Elle avait des contours flous comme la lune lorsqu'on l'aperçoit à travers une nuée basse, mais sa couleur passait du bleu à l'orangé, au rouge, au vert.

Max sut que c'était là sa destination.

Animé par cette nouvelle certitude, il voulut tendre les bras vers elle. Mais ses bras demeurèrent soudés à ses cuisses.

Sans qu'il s'en soit rendu compte, son corps

s'était modifié, ses bras et ses jambes s'étaient fondus à son tronc pour ne plus composer qu'un seul et long fuseau. Il se métamorphosait, devenait quelqu'un d'autre, quelque chose d'autre, un être différent de ce qu'il avait été, une créature nouvelle.

Max s'aperçut qu'il pouvait imprimer un mouvement de bas en haut à la flèche qu'était devenu son corps et ainsi augmenter sa vitesse.

Timidement d'abord, il poussa vers le bas ce qui avait été ses pieds et sa tête fut propulsée vers le haut; puis il fit l'inverse et sa tête descendit.

— Je suis un têtard, se dit-il.

Cette constatation qui, en rêve, l'eût affolé, le calma au contraire. Plongé dans cet élément étrange, il se découvrait une mobilité inédite, une souplesse confortable qui lui procurait un bien-être intense.

Il découvrait la joie de bouger, comme si jusqu'à présent ses membres n'avaient été que d'inefficaces outils, dérisoires et gauches.

D'un seul coup de sa nouvelle queue, il se sentait glisser sans résistance à une vitesse étourdissante.

Au bout d'un instant d'éternité, il mit fin à ses exercices pour adopter un rythme plus régulier et mettre le cap sur la sphère brillante. Elle ressemblait au soleil.

Combien de temps cela dura-t-il? Comment dire? Max ne pensait pas au temps. Alors que naguère son corps marquait les heures par des indices sourds mais néanmoins précis, la fatigue, la faim, l'envie d'uriner, ici nul désir, nulle lassitude des membres, nul borborygme n'indiquait la durée.

Seule la sphère qui grossissait devant lui signifiait que sa progression n'était pas vaine, qu'il s'approchait de son but.

Il lui sembla soudain qu'il n'était plus seul. Il sentait une présence à ses côtés.

Il tourna la tête et vit à quelque distance de lui une créature diaphane qui se mouvait avec grâce. Elle avait une forme élancée qui lui rappelait vaguement quelque chose, comme si, bien qu'il pût affirmer qu'il n'avait jamais rien vu de tel auparavant, cette configuration ondulante aux reflets nacrés lui semblait étrangement familière. Et soudainement, le voile tomba devant ses yeux.

Cette créature, cette chose si belle et si gracieuse, c'était lui-même ou plutôt un autre lui-même, un individu de sa race, de son sang. Il était devenu cela: une forme fuselée, étirée, une tête énorme, ronde, prolongée par une longue queue aux mouvements élégants comme ceux d'un fouet fébrile.

L'idée de se savoir accompagné dans sa quête le réconforta, le remplit d'une immense joie.

D'un coup de queue latéral, il voulut se rapprocher de son *alter ego*. Mais au même moment, le long fuselage iridescent, d'un mouvement identique, s'éloigna un peu plus comme s'il entendait préserver entre eux cet espace qui les séparait.

Une autre impulsion. En vain. Max comprit qu'il était enveloppé dans une sorte de champ qui se déplaçait avec lui dans quelque direction qu'il allât et qui interdisait tout contact avec son congénère. Visiblement, l'autre tendait vers le même but que lui.

Alors, par jeu, Max activa le mouvement afin de forcer un peu l'allure. Cela ne demandait aucun effort. Bien au contraire, plus le fuselage de sa nouvelle enveloppe s'agitait, plus Max éprouvait une intense satisfaction à se mouvoir. Chaque impulsion devenait pur plaisir, ivresse, jouissance. Son corps tout entier se transformait en une onde vibrante. Il était énergie, il se sentait vivre pour la première fois.

L'autre à ses côtés épousait la cadence. Avec la même aisance, avec la même grâce.

Qui pourrait dire à quelle vitesse ils voyageaient tous les deux? Tous les deux? Étaient-ils vraiment seuls dans cet espace sans frontières? N'était-ce pas une autre présence que Max sentait derrière lui? Et dessous, et à droite?

Oui, il y en avait d'autres. D'autres têtards lumineux, d'autres fusées souples lancées sur la même trajectoire, d'autres splendeurs mouvantes parties à l'assaut d'un même soleil.

— Nous sommes de la même race, se répétait Max, le cœur gonflé de fierté. Un sentiment de solidarité dilatait sa poitrine et il se sentait rempli d'une grande chaleur, investi d'une grande puissance.

Le soleil occupait à présent la quasi-totalité de son champ visuel. Il en apercevait maintenant la surface, qu'il devinait montagneuse sous une couche vaporeuse de nuages en mouvement.

Il choisit de ralentir et vit que la horde qui l'accompagnait, qui l'entourait à présent, en faisait autant. Il obliqua sur sa droite et constata que les autres l'avaient imité avec le synchronisme d'un banc de poissons.

Il les voyait mieux à présent, des milliers, peut-être même des millions, de longs têtards d'une poignante délicatesse survolant mollement, à égale distance les uns des autres, la surface mordorée qui se réfléchissait sur leurs ventres.

Il survolait la nuée. Allait-on y pénétrer? Sans qu'il sache exactement pourquoi ni comment, il se sentait le jouet de deux forces, l'une l'attirant, l'autre le repoussant. Et plus il planait au milieu de l'armée de ses congénères, plus cette sensation de déchirement, contre laquelle il résistait de toute sa force, s'accroissait.

Alors, il vit autour de lui se disloquer en un éclat anarchique la théorie harmonieuse qui jusqu'à ce moment s'était comportée comme un seul être. Tout autour de lui, il n'y avait plus que tumulte et chaos. Pour sa part, il piqua du nez, mû par une impulsion qui ressemblait à une furieuse envie de vivre. Du coin de l'œil, il vit de ses compagnons tourner le dos au soleil et foncer vers le néant d'où tous étaient issus; il en vit d'autres se tordre comme s'ils étaient la proie d'insupportables douleurs, se convulser puis flotter inertes dans l'atmosphère et retomber comme des feuilles en automne vers la surface qui maintenant luisait de sombres feux verdâtres.

— Combien passeront? demanda l'ange, fébrile.

— Un seul, répondit Dieu.

Max éprouva une intense sensation de brûlure lorsqu'il atteignit les premières couches de nuages. La nuée était poisseuse, épaisse, gluante. Probablement léthale aussi. Mais il était trop tard.

Max ignorait ce qui l'attendait au-delà de ces

vapeurs de feu qui cuisaient son épiderme, mais tout en lui se tendait, s'étirait, s'allongeait pour les franchir le plus rapidement possible. Il avait la force d'une montagne.

À grands coups de queue vigoureux, il progressait à travers le magma igné.

À cause de la sensation de brûlure, il reprit soudain conscience du temps. Un temps arrêté, dans lequel il serait englué, comme un oiseau dans les rets qu'il tendait autrefois le long de la Sonatine.

— La Sonatine, dit-il.

Et des réminiscences de petits bonheurs affluèrent; l'eau fraîche du printemps, la neige à peine fondue qui coulait claire, pure, coupante comme un couteau, tranchant les dernières glaces attardées qui petit à petit s'effritaient dans la rivière pour couler dans les entrailles de la terre et ressortir quelque part dans une contrée inconnue; mémoire de baignades dans l'onde froide, le contact doux et lisse d'une truite effrontée, les pieds qui s'enfonçaient dans l'argile et les algues affectueuses qui s'enroulaient, câlines, autour de ses chevilles nues.

Les images pâlissaient, devenaient diaphanes puis transparentes avant de disparaître complètement. Et la réalité brûlante s'imposait sans répit; le feu s'insinuait sous sa peau jusquc dans ses entrailles.

Il aurait voulu crier mais son visage n'avait plus de bouche. Seulement des yeux qui cherchaient à droite ou à gauche un chemin, un passage.

Il s'épuisait.

Quelque chose en lui l'invitait à céder, à se relâcher complètement, à déclarer forfait, à s'abandonner aux flammes qui le consumeraient en une fraction de seconde; mais une autre partie de lui-même l'exhortait à tenir bon, à forcer le barrage. Le sentiment de solidarité qu'il avait éprouvé en voyant son premier compagnon avait été pulvérisé. Les autres créatures qui se débattaient autour de lui ne lui inspiraient plus que de la haine. Une fureur noire qui décuplait sa force.

Max hésita. Cette haine subite lui faisait peur.

Était-ce donc cela, le sens de la vie?

Son voisin de gauche profita de son désarroi pour le doubler.

Alors Max s'abandonna entièrement à cette vague de férocité qui le submergeait et abaissait un voile rouge devant ses yeux. L'autre ne passerait pas. Ici, c'était chacun pour soi.

La surface luisante du soleil était toute proche.

Où puisa-t-il l'énergie de ce dernier coup de queue? Celui qui le projeta la tête la première contre la muraille avec une si grande violence qu'il s'y enfonça presque tout entier? On est parfois capable d'exploits sous le coup de la colère ou de la peur, mais la rage et la haine sont encore les plus sûrs moteurs de l'héroïsme.

À demi assommé, Max sentit tout le haut de son corps engoncé dans une matière douce et rafraîchissante qui lui serrait la tête comme un casque trop étroit. Il vit l'image d'une femme qui lui tenait la tête à deux mains avant de plaquer sur son front un baiser mouillé qu'il essuyait furtivement sitôt qu'elle détournait son regard.

Il constata que l'atroce sensation de brûlure

s'était atténuée, hormis dans la queue qui continuait de s'agiter faiblement.

Il fallait maintenant reprendre ses esprits, évaluer la situation. Où se trouvait-il? S'il avait pu tourner la tête, regarder autour de lui, explorer au moins du regard ce monde ouateux dont il ne voyait que la vague luminosité laiteuse collée à ses yeux et le retenait prisonnier, il aurait pu, sans doute, décider d'une marche à suivre. Mais la gangue l'enveloppait comme un amour envahissant, lui interdisant le moindre mouvement. C'est à peine s'il parvenait encore à imposer quelques ondulations dérisoires à son appendice qui demeurait toujours à l'extérieur, dans la fournaise.

Alors se produisit cette chose étrange. Au hasard d'une pulsation un peu plus vigoureuse que Max imprimait à ce qui lui tenait lieu de membres inférieurs, l'intolérable brûlure cessa brusquement en même temps qu'une sensation de légèreté, de libération le submergeait. Sa queue s'était rompue. Une rupture sans heurts. Elle s'était détachée le plus simplement du monde, sans violence, comme la samare d'un érable aux derniers jours du printemps. Comme la queue de Torticolis.

Du coup, Max se rappela Privilège-sur-Sonatine et les quatre murs de sa chambre, les matins d'hiver, un courant d'air frais caressant son visage et lui, emmitouflé dans les peaux de bique, plaidant pour qu'on le laissât encore un peu profiter de la chaleur du lit. Bonheur exquis de s'enrouler dans sa propre tiédeur, les jambes repliées sur la poitrine, la tête dans les épaules, à mi-chemin entre le rêve et la vie quotidienne; joie fragile et pourtant si profonde de se savoir quiet, enveloppé dans la sécurité des choses familières.

La haine s'était dissipée pour le céder à une nouvelle sensation. Un sentiment de volupté, un bien-être qui occupait tout l'esprit, une joie si intense qu'elle coupait le souffle. Max n'avait plus de mots pour dire son bonheur; cela ne pouvait que se gémir, se crier, se hurler. Cela vibrait, grondait, tressaillait de partout en flots d'une extase ineffable, à la limite du supportable.

La terre n'avait-elle pas tremblé un jour à Privilège-sur-Sonatine? Ou était-ce dans ce jardin de pierres que cultivait le dernier des dinosaures qui se voulait si sage? Oui, sans doute. C'était vague, si diffus, si lointain que Max se demanda s'il ne s'inventait pas un passé aux seules fins d'expliquer son présent. Cela arrive parfois quand on est confronté à l'inexplicable. La nature a horreur des événements sans cause.

Une autre secousse, puis encore une autre.

Max se rappela son grand-père qui, dans ses rares moments de veille, le regard tourné vers les étoiles qui illuminaient les nuits d'été, prétendait que tous ces lumignons étaient agités de soubresauts qui défiaient l'entendement et que d'autres corps célestes, comme il les avait appelés, invisibles à l'œil des hommes, tournaient autour des premiers comme des toupies. Dès lors, pourquoi s'étonner que ce soleil vécût, respirât, tremblât comme n'importe quel autre corps doté de vie, comme le sien qui recommençait d'ailleurs à se mouvoir?

Lentement, Max commençait à sentir s'exercer sur lui des forces qui l'étiraient, l'allongeaient puis

le pétrissaient avec la tendresse d'une ferme
caresse. Le soleil l'aspirait à l'intérieur de lui-même,
vers son centre. C'était doux. Cela trémulait d'une
vitalité onctueuse. Image rapide d'un bol de
gélatine frémissante, le sein lourd de sa mère, une
masse d'œufs de grenouille accrochée à la tige
d'une sagittaire dans une mare, le corps lisse d'une
loche. Puis plus d'images. La lumière, mouvante,
sans cesse renouvelée en explosions colorées
comme les flammes tranquilles qui jaillissent d'un
feu de grève sur le bord de... Comment s'appelle
cette rivière? La... Mais oui, cette rivière toute en
boucles qui traverse le village de... Mon Dieu, je ne
me souviens plus du nom de la rivière, ni de celui
du village. Pourtant, je les connais bien, je me suis...
comment dit-on... quel est ce mot qui dit qu'on pénètre dans l'eau... Je pénètre dans le soleil, je me
dissous dans sa matière. Je deviens un autre. Je ne
suis plus moi mais la somme de ce que je suis et
d'un autre être que j'investis et qui m'absorbe. Je...
Je... Qui est je? Quelle drôle de question!
    Dieu lissa sa barbe et passa un index furtif au
coin de son œil. L'ange s'essuya le front à un pan
de sa robe.
    — Voilà, voilà, voilà, dit Dieu, un peu platement.
    — Voilà, répéta l'ange, en refermant son anti-
phonaire.
    Il y eut un silence aussi profond que celui qui
précéda le commencement du monde.
    — J'ai craint un moment qu'il ne survive pas, dit
l'ange.
    — Moi aussi, Je ne m'en cache pas, dit Dieu.
    L'ange le regarda, interdit.

— Mais Vous, Vous connaissiez l'issue, puisque Vous savez tout.

— Je ne connais que le connaissable, et l'avenir n'en fait pas partie.

L'incompréhension se lisait sur les traits de l'ange. Dieu haussa ses divines épaules.

— Laissons cela aux théologiens, ils auront de quoi s'agiter pendant quelques millénaires. Pour l'heure, Max se prolonge et Mon œuvre se poursuit. Tant qu'il y a la vie...

L'ange contempla la curieuse boule lumineuse qui pulsait tout autour de lui. Il se sentit soudain tout étourdi d'amour.

— Gloire soit à Vous, dans les siècles et les siècles, murmura-t-il.

Dieu sourit. Son Esprit s'attarda quelque peu à planer sur toute chose.

Et Il vit que cela était bon.

FIN

Montréal, janvier 1992

Achevé   Imprimerie
d'imprimer Gagné Ltée
au Canada Louiseville